STRETCHING

Lydie Raisin

Photographies de Jean-François Chavanne

STRETCHING

MARABOUT

7 INTRODUCTION

25 SEMAINE 1

53 SEMAINE 2

SOMMAIRE

INTRODUCTION

Cette méthode s'adresse à tous et ne présente aucune contre-indication. Elle consiste à étirer progressivement toutes les parties du corps (articulations et groupes musculaires). Un programme d'un mois est proposé avec 4 exercices complémentaires, à réaliser chaque jour en moins de 15 minutes chez soi, 6 fois par semaine.

LES DIFFÉRENTES MÉTHODES DE STRETCHING

Le stretching est une méthode d'étirement musculaire issue du *hatha yoga*, de la gymnastique et de la danse classique. Il existe bon nombre de méthodes différentes, mais toutes s'appuient sur 5 procédés d'origine américaine.

1. *Passive lift and hold*

↘ ou « exercer une traction passive et tenir la position »

Il s'agit d'un stretching très élaboré qui se réalise à deux : une personne étire progressivement l'articulation de l'autre jusqu'à son maximum durant 1 minute.

→ Phase 1 : les muscles du membre se contractent pendant 6 secondes.

→ Phase 2 : les muscles se laissent étirer passivement.

Ce stretching est basé sur l'alternance de la phase 1 (durée de 6 secondes) et de la phase 2 (durée de 54 secondes).

Cette méthode a fait ses preuves, mais requiert une certaine expérience, un contrôle et une connaissance du corps, et ne peut être pratiquée par un néophyte sans le regard d'un professionnel. Peu pratiquée dans les salles de remise en forme, elle est appréciée dans certains milieux du sport professionnel.

2. La méthode P.N.F.

↘ ou *proprioceptive neuromuscular facilitation*

C'est un stretching complexe requérant de l'organisation gestuelle et de la précision ; il s'exécute à deux.

→ Phase 1 : on étire au maximum un groupe musculaire.

→ Phase 2 : on garde 6 secondes cette extension de façon isométrique (contraction musculaire telle que la longueur du muscle ne change pas, alors que la force augmente). Pour cela, il est nécessaire d'avoir un partenaire ou une machine qui oppose une résistance.

→ Phase 3 : sans bouger, on détend le muscle 4 secondes.

→ Phase 4 : on étire encore plus le muscle.

Que fait le stretching ?

Le stretching améliore l'état des muscles, des articulations, des tendons, des ligaments, mais aussi des tissus conjonctifs. Il prévient, entre autres, certaines déformations vertébrales dues à de mauvaises positions dans la vie quotidienne.

→ Phase 5 : on maintient la traction maximale 10 secondes.

Pour obtenir un résultat, il faut reproduire au moins trois fois ces différentes phases.

Cette méthode est utilisée par des athlètes de haut niveau ainsi qu'en rééducation, ce qui a contribué à consolider sa réputation. Elle est cependant pratiquement absente des salles de remise en forme, en raison de sa complexité et de la maîtrise corporelle qu'elle requiert.

3. *Ballistic and hold*
↘ ou « balancer et maintenir la position »

C'est une méthode très controversée, de moins en moins utilisée ; pourtant elle n'est absolument pas à bannir. Comme les autres, elle a ses adeptes ! Il s'agit simplement de réaliser des balancements d'un bras ou d'une jambe et de le maintenir 6 secondes tous les 4 mouvements en posture extrême.

C'est la méthode la plus à la portée de tous.

4. *Relaxation method*
↘ ou « méthode de relaxation »

Un partenaire étire pendant 1 minute minimum une articulation dont les muscles se relâchent peu à peu. Cette méthode, extrêmement efficace, vise à l'obtention de la capacité limite d'extension musculaire et à l'inhibition du réflexe de contraction. Il est possible d'atteindre cet objectif... avec de l'entraînement et du temps ! Elle n'est pas à conseiller à des personnes peu sportives. Les tensions ne doivent être exécutées qu'avec sérieux et méthodologie. Il est recommandé aux personnes très nerveuses ou tendues.

5. *Prolonged stretching*
↘ ou « stretching prolongé »

Un partenaire étire durant 1 minute une articulation jusqu'à son maximum. La différence avec la précédente méthode est que celle-ci ne nécessite pas une décontraction musculaire durant l'extension.

QU'EST-CE QUE LE STRETCHING BALISTIQUE ?

Il n'est pas enseigné et ne fait pas partie des différentes méthodes de référence citées au début de ce guide. En effet, il n'est pas apparenté au stretching *Ballistic and hold*.

Il est constitué de gestes assez rapides comportant de petits sauts dans le but d'améliorer l'élasticité musculaire. Certains entraîneurs de gymnastique au sol le faisaient pratiquer autrefois afin de perfectionner la dynamique gestuelle de grande amplitude.

Cela étant, ce stretching dynamique n'est pas à la portée de tous car c'est la forme la plus tonique de toutes les méthodes.

LES BIENFAITS DU STRETCHING

Si on désire pratiquer le stretching chez soi en toute sécurité, mieux vaut utiliser la méthode la plus simple, décrite dans ce livre.

Quelle est la méthode présentée dans cet ouvrage ?

Il s'agit d'un stretching postural, utilisé par des athlètes de haut niveau et apprécié pour les résultats rapides qu'il donne. De plus, il ne nécessite pas de partenaire.

Quels sont ses bienfaits ?

L'avantage de cette méthode est qu'elle prévient les maux de dos et l'amélioration de la souplesse dans toute sa globalité. Pour cette raison, aucun exercice ne comporte de cambrure lombaire ou de torsion. Nous souffrons tous plus ou moins de déformations vertébrales et le stretching, comme les autres disciplines, peut en accentuer les effets s'il est mal adapté au pratiquant.

Ce type de stretching est axé essentiellement sur la remise en forme dorsale : avec le temps, le dos se raidit et il importe de l'assouplir, surtout au niveau des lombaires. Suivant l'âge et les activités physiques exercées par un individu,

il est possible de gagner assez rapidement plusieurs centimètres d'amplitude articulaire. Dans les cas extrêmes et rares, le stretching permet au moins de maintenir l'amplitude articulaire existante. Il retarde aussi le durcissement des articulations et aide à la stimulation de la sécrétion du liquide synovial. Le stretching est recommandé aux personnes souffrant de crampes, ou de fatigue chronique, souvent dues à l'inactivité.

En améliorant fortement l'élasticité musculaire, il constitue un excellent moyen de prévention des foulures et même des déchirures musculaires. Il permet également une meilleure coordination gestuelle. Il est connu pour son action anti-stress et est recommandé aux personnes n'ayant pas une bonne circulation du sang.

QUELQUES EXEMPLES DE SES BIENFAITS

→ Lors d'un étirement du buste, on constate une augmentation de la pression dans les artères. C'est excellent pour la tension artérielle.

→ La pratique régulière des flexions du

buste génère un meilleur fonctionnement des intestins en faisant office de massage.
→ Une rotation du buste amène le foie à mieux se dégorger.
→ Les flexions réalisées lors des postures occasionnent une compression du ventre, bénéfique à son métabolisme.
→ Certains exercices ont une bonne influence sur l'activité rénale ou provoquent une stimulation de la glande surrénale.
→ Quelques postures, telles les extensions de la colonne vertébrale, augmentent la pression au niveau de l'abdomen, améliorant ainsi l'élimination des matières toxiques, ainsi que la circulation sanguine.

Stretching et articulation

Toute gestuelle part du centre de l'articulation. La précision et l'angle d'ouverture d'un mouvement dépendent de l'aptitude à la souplesse de ladite articulation. Le stretching a une action extrêmement bénéfique car il étire les ligaments.
Le fait de posséder des articulations déliées permet la réalisation de gestes plus amples, ce qui constitue une prévention certaine de certains traumatismes (chutes de ski, par exemple).
Le stretching augmente l'espace dans la capsule articulaire, diminuant ainsi les risques de frottements.
Il permet une diminution du risque de luxation, voire de rupture des articulations, en raison de la souplesse articulaire plus grande qu'il

génère (principalement au niveau de l'articulation du genou).

La contraction musculaire peut être une réaction à un état de stress. Cette forme de pression dans la masse musculaire est le plus souvent inconsciente et entraîne une dépense d'énergie inutile qui peut engendrer un état permanent de lassitude. Cette contraction musculaire permanente peut occasionner des mouvements mal contrôlés, voire brutaux, des articulations raides et parfois sensibles, voire douloureuses. La pratique régulière du stretching permet de supprimer ces inconvénients en procurant également une détente psychologique.

IL EXISTE TROIS SORTES D'ARTICULATIONS : FIXES, SEMI-MOBILES ET MOBILES.

→ Les articulations fixes (appelées aussi synarthroïdales) sont celles qui réunissent, par exemple, les os du crâne (elles ne sont pas, bien sûr, sujettes à l'arthrose).
→ Les articulations semi-mobiles (appelées aussi amphiarthroïdales) ont pour rôle de rapprocher des os avec une amplitude limitée (elles ne sont pas non plus touchées par l'arthrose).
→ Les articulations mobiles (appelées aussi diarthroïdales) sont plus diversifiées et, elles, sujettes à l'arthrose.

Stretching et arthrose

Le sport modéré est tout à fait conseillé aux sujets souffrant d'arthrose. Le stretching et le renforcement musculaire sont particulièrement recommandés. L'atrophie guette les personnes sédentaires ; il importe de leur faire prendre conscience des risques de l'inactivité. L'activité physique aide entre autres à la circulation du liquide synovial dans les articulations (ce dernier ayant un rôle lubrifiant et nourricier au niveau des cartilages). En renforçant les muscles et les tendons, elle permet aussi de soulager les pressions qui s'exercent sur les articulations répartissant ainsi les charges d'une façon plus équitable.

IMPORTANT

Il est essentiel de ne pas exercer toujours les articulations sous le même angle et donc de varier les exercices et leur amplitude de réalisation.

Adopter une bonne position au travail

Le nombre des personnes qui se plaignent de douleurs diverses en raison de leur mauvais positionnement face à un ordinateur est impressionnant !
Le remède ? Il consiste en un ensemble de facteurs :
➔ Avoir un bureau répondant aux normes ergonomiques (à bannir absolument : le bureau design aux courbes, certes esthétiques, mais absolument pas fonctionnelles).
➔ S'asseoir sur un siège adapté à votre morphologie.
➔ Bien régler la distance entre le siège et l'ordinateur (qui doit être aussi à la bonne hauteur).
➔ S'arrêter quelques minutes toutes les deux heures pour étirer le dos dans diverses directions et se relaxer.
➔ Fermer les yeux pendant une ou deux minutes dès que l'on ressent une fatigue oculaire.
➔ Se masser pendant 30 secondes en cercles (dans le sens inverse des aiguilles d'une montre) et en douceur la région lombaire avant de se lever.
➔ Penser à avoir toujours les avant-bras au-dessus du plan de travail (ce qui vous forcera à rapprocher votre chaise du bureau et ainsi à mieux positionner votre dos).

Cinq exercices au choix pour vous détendre

Faites l'un des exercices suivants pour détendre vraiment votre corps après avoir travaillé sur l'ordinateur ; choisissez celui qui vous convient le mieux :
➔ Rotations lentes du cou dans un sens puis dans l'autre (à réaliser au moins 8 fois en alternance).
➔ Rotations arrière des épaules (à réaliser 6 fois).
➔ Étirement des bras parallèles au-dessus de la tête (à réaliser au moins

cervicales, 12 vertèbres dorsales, 5 vertèbres lombaires, 5 vertèbres sacrées et 4 vertèbres coccygiennes – qui fusionnent plus tard pour donner le sacrum).

À partir de 25 ans, la colonne vertébrale a tendance à se tasser ; ainsi, par exemple, entre 25 et 70 ans, un homme perd 2 ou 3 cm et une femme 5 ou 6 cm. Cette réduction est due principalement à l'altération des disques intervertébraux. Il ne faut pas oublier non plus que vers 70 ou 75 ans, la plupart des femmes ont perdu 1/3 de leur masse osseuse.

La masse musculaire, elle aussi, tend à diminuer puisqu'on en perd 0,5 % par an. Ainsi, en 50 ans, un être humain perd 1/4 de sa masse musculaire. Une seule prévention peut enrayer partiellement ce phénomène : l'activité physique régulière et bien menée.

3 fois pendant 20 secondes chacun).
→ Arrondi du bas du dos (à réaliser au moins 4 fois pendant 20 secondes à chaque fois).
→ Étirement au maximum des jambes devant soi en étant assis (à réaliser 3 fois pendant 15 secondes à chaque fois)

PRENEZ SOIN DE VOTRE COLONNE VERTÉBRALE !

La colonne vertébrale d'un enfant comporte 33 segments (7 vertèbres

COMMENT PRATIQUER

Les postures choisies dans ce guide sont basiques car l'exercice à domicile doit s'effectuer avec le maximum de sécurité. Plus une technique est complexe, plus les risques d'erreur augmentent. Il est donc important de les réduire par une bonne compréhension de la technique.

Le stretching est-il recommandé aux personnes n'ayant jamais fait de sport ?

Oui ! Il permet ainsi une (re)mise en condition physique douce et progressive. Il est également recommandé aux personnes n'ayant pas fait de sport depuis longtemps. Le stretching est, depuis son origine, pratiqué par des personnes des troisième et quatrième âges afin de leur permettre de conserver ou d'améliorer une amplitude articulaire diminuant avec le temps. Les résultats obtenus sont étonnants !

AVANT DE COMMENCER

Il est essentiel de ne pas supprimer l'échauffement nécessaire à toute activité sportive et de ne pas négliger la phase d'étirement à la fin d'un entraînement.
→ Pratiquez le stretching dans une pièce tempérée (20 °C). Fuyez les courants d'air.
→ Exercez-vous sur une moquette ou un tapis de gymnastique.
→ Respectez les temps de posture et de décontraction.
→ Travaillez toujours de façon symétrique (à droite puis à gauche).

→ Pensez à conserver les jambes semi-fléchies durant toute la durée des postures debout (on a toujours tendance, par réflexe, à les retendre).
→ Écoutez une musique relaxante (et surtout pas le bruit de la machine à laver...).
→ Ne faites pas autre chose pendant votre séance de stretching (regarder un film ou écouter une cassette d'anglais).

Concentrez-vous

On a souvent tendance à raidir la partie musculaire sollicitée au lieu de la relaxer pour mieux l'allonger. D'où la nécessité, pour pratiquer le stretching, d'être concentré. En réalisant les postures, pensez toujours à :
→ vous grandir au maximum durant toute leur durée ;
→ tirer vos épaules au maximum vers l'arrière ;
→ prendre conscience de la répartition du poids de votre corps ;
→ écarter vos jambes de la largeur du bassin (sauf pour les écarts, bien entendu) ;
→ avoir les genoux positionnés de face (et non rentrés vers l'intérieur) ;

→placer le bassin de préférence avancé (en rétroversion).

CONSEIL

Exercez-vous devant une glace afin de pouvoir vous corriger en permanence.

Quelle est l'heure la plus bénéfique pour pratiquer ?

C'est tout à fait personnel ! Que vous soyez matinal(e) ou « couche-tard », peu importe ! L'essentiel est que vous vous entraîniez à l'heure où vous ressentez la meilleure disposition (toutes contraintes mises à part, bien entendu).

CONSEIL

Pensez à vous décontracter complètement en respirant le plus lentement possible entre chaque posture. Relevez-vous lentement en expirant par la bouche en fin de séance.

Comment doit-on s'habiller ?

Préférez des vêtements amples, confortables, en coton et de préférence assez chauds. N'oubliez pas de porter des chaussettes.

Doit-on s'hydrater ?

Si vous en ressentez la nécessité, bien sûr ! Le mieux est toutefois de boire un demi-verre d'eau avant la séance et un demi- verre d'eau après ; ceci, afin de ne pas éprouver de gêne durant la pratique.

Combien de temps faut-il tenir la posture ?

N'hésitez pas à prolonger les phases d'extension des techniques de stretching !
En effet, si vous disposez de plus de temps, vous pouvez sans hésitation prolonger les phases d'extension des postures.
Certains spécialistes maintiennent les postures durant plus d'une minute. Anderson (un des professionnels à l'origine du stretching) nomme « easy stretch » la première phase et « development stretch » la seconde.
Un fait est certain : le temps de décontraction musculaire varie suivant les individus.
Il est donc important d'être à l'écoute de son corps.
Toutes les indications de temps dans ce guide ne le sont qu'à titre indicatif pour donner une phase minimale d'extension.
De même, les temps d'étirement varient suivant le type et l'importance du groupe musculaire étiré.

EN RÉSUMÉ

Ne relâchez une posture que si vous avez la sensation d'avoir été jusqu'au bout de l'étirement du groupe musculaire sollicité.

Existe-t-il des cours collectifs de niveaux différents ?

Oui ! Il existe trois niveaux : débutant, avancé, confirmé. Les cours doivent être dispensés par des professeurs diplômés d'État.

IMPORTANT

Dans le cadre de cours collectifs, le stretching doit être enseigné par des personnes diplômées d'État. C'est très important car un mauvais enseignement de cette discipline peut avoir des conséquences néfastes durables, notamment au niveau dorsal. Il est essentiel aussi que le professeur vous informe des postures que vous ne devez pas pratiquer en fonction de votre morphologie ou de vos déformations vertébrales, par exemple... En effet, certaines techniques issues du hatha yoga comportent des postures à base de cambrure lombaire. Elles ne sont pas à pratiquer n'importe comment, ni par tout individu ! Elles sont pour cette raison exclues de ce guide.

En complément de quelles activités sportives peut-on pratiquer le stretching ?

Le stretching étant la discipline de la souplesse par excellence, les activités complémentaires sont celles faisant intervenir le système cardio-pulmonaire ou améliorant la puissance et la tonicité musculaires. Ainsi, le stretching s'allie avec tous les sports ou activités sportives sans exception.

Le stretching renforce certaines aptitudes propres à la discipline (par exemple, il aide la danseuse à être encore plus souple), et se révèle indispensable (par exemple, pour le marathonien qui ne peut éviter la pratique des techniques de souplesse).

On peut faire du stretching en alternance avec une ou plusieurs autres disciplines ou, au contraire, à la fin de chaque entraînement spécifique (comme l'athlétisme) ou encore dans le cadre même d'un cours (par exemple réaliser des postures de stretching enchaînées, au milieu et à la fin d'un cours de step ou de « halow-combo » – discipline dynamique dansée de fitness).

Le stretching est donc l'activité complémentaire indispensable pour :

→ la course à pied,
→ le « *High-Impact-Aerobic* » (aérobic intensif),
→ le vélo,
→ l'escalade,
→ le ski (prévention des chutes),
→ la musculation.

Si vous êtes un(e) adepte de la course à pied, pratiquez votre séance de stretching lorsque vous avez éliminé complètement l'acide lactique de vos muscles (au moins 1 heure après). N'oubliez pas qu'il importe d'assouplir muscles et articulations après une activité rigidifiant la masse musculaire.

SPORTS ET CALORIES POUR 15 MINUTES DE PRATIQUE

Vous désirez, avant de vous lancer, avoir une idée du nombre des calories

dépensées en 15 minutes.

Voici quelques exemples :

→ La gymnastique aquatique fait dépenser 155 calories. C'est une discipline agréable, sans inconvénient pour les articulations.

→ La natation fait consommer à peu près 200 calories. Elle est à pratiquer sous la surveillance d'un professeur si vous n'êtes pas un grand nageur (on peut en effet souffrir de tensions dorsales si les mouvements sont mal exécutés).

→ Le vélo : il permet d'éliminer 150 calories. C'est un excellent sport.

Y a-t-il des choses à ne pas faire avant, pendant ou après une séance de stretching ?

À ne pas faire avant

→ Ne pas s'hydrater suffisamment.

→ S'exercer en ayant fait un repas trop copieux.

À ne pas faire pendant

→ S'exercer dans un état de fatigue intense.

→ Travailler dans un endroit trop froid ou humide.

→ Ne pas disposer d'un temps suffisant pour s'entraîner correctement et du même coup, bâcler la séance.

→ Porter une tenue qui entrave les mouvements pendant l'entraînement.

→ Regarder la télévision en s'entraînant (il faut être concentré !).

→ Écouter une musique dynamique en s'exerçant.

À ne pas faire après

→ Courir ou pratiquer un sport dynamique ou une activité dynamique.

Quels sont les résultats que l'on peut espérer ?

Lorsque vous aurez terminé votre mois d'entraînement, vous pourrez :

→ soit le répéter tout au long de l'année ;

→ soit vous exercer avec les variantes pendant un mois également, avant de reprendre à nouveau les techniques de base ;

→ soit alterner une séance de techniques de base et une séance de variantes.

À vous de choisir !

Mais déjà, au bout d'un mois, vous devez sentir tout votre corps détendu, votre dos libéré de ses tensions et une meilleure résistance aux longues stations immobiles (devant l'ordinateur, par exemple).

Bon courage !

COMMENT SE DÉBARRASSER D'UNE CRAMPE ?

Elle survient au moment où l'on s'y attend le moins. Afin de mieux la combattre, il faut en connaître les causes. Une crampe peut être due à :

→ un excès d'activité physique ;

→ un échauffement insuffisant ou mal mené ;

→ une absence de temps de récupération ou une insuffisance de phases de repos ;

→ un manque d'hydratation ;

→ une réalisation gestuelle défectueuse ;
→ un apport trop réduit de potassium, magnésium ou calcium ;
→ une insuffisance veineuse (cela concerne surtout les crampes nocturnes). Les praticiens recommandent alors des bains chauds (sauf en cas de mauvaise circulation), des massages, des séances de physiothérapie. Ils prescrivent souvent aussi des dérivés de quinine, des myorelaxants (favorisant la détente musculaire), du magnésium, du calcium, du potassium, des veinotropes et de la vitamine B.

Sur le terrain, il faut allonger la personne souffrant de crampes et mettre le membre concerné en hyper-extension avec douceur (par exemple, si c'est au pied ou au mollet : fléchir le pied au maximum).

Il convient également d'hydrater la personne avec de l'eau à température ordinaire, légèrement salée ou sucrée. Si cela est possible, lui donner un aliment riche en vitamine B1 (thiamine) que l'on trouve dans le pain complet, le lait ou le beurre, ou en vitamine B6 (pyridoxine) que l'on trouve dans les fruits ou les légumes, par exemple.

Les crampes persistantes peuvent relever du domaine pathologique, neurologique, endocrinien ou vasculaire.

STRETCHING ET RESPIRATION

La pratique régulière du stretching permet une meilleure prise de conscience de la respiration et améliore le fonctionnement des muscles respiratoires. Il est important, lors de la réalisation des postures, de se rendre compte de notre capacité à gonfler la cage thoracique à l'inspiration et de sentir la contraction abdominale à l'expiration.

Comment s'effectue la respiration ?

La respiration est un phénomène naturel qui doit être contrôlé dans certaines circonstances, mais non freiné.

Si, lors d'un étirement, vous ressentez une gêne respiratoire quelconque, diminuez l'effort.

Dans les exercices proposés, l'inspiration est faite par le nez et l'expiration, deux fois plus lente, par la bouche.

La partie la plus importante de l'opération s'effectue au niveau des poumons où le sang veineux se transforme en sang artériel. La respiration réglée par le centre respiratoire situé dans le bulbe rachidien (au rythme d'environ 16 inspirations par minute) est caractérisée par :

→ **L'inspiration**
– le diaphragme se contracte ;
– la partie supérieure du thorax augmente de volume ;
– la pression baisse ;
– les côtes supérieures se soulèvent ;
– les muscles externes intercostaux et les muscles nécessaires à l'inspiration se contractent ;
– l'air entre dans les poumons : l'oxygène irrigue les tissus et les organes à partir des artères.

→ **L'expiration**
– le diaphragme se relâche ;
– les muscles expiratoires se contractent ;
– le volume de la cage thoracique diminue ;
– la pression augmente ;
– l'air chargé des gaz usés issus des capillaires est éjecté des poumons.

IMPORTANT
Il est essentiel de ne pas retenir sa respiration lors d'une posture.

La respiration sans effort physique

Dans le cadre d'une respiration normale, sans effort physique, on nomme V.C. (volume courant) le volume d'air véhiculé entre une expiration normale et une inspiration normale. Il correspond à peu près à 0,5 l.

→ Si l'on réalise une inspiration plus longue, le volume d'air pénétrant en plus dans les poumons se nomme V.R.I. (volume de réserve inspiratoire). Il correspond à environ 1,5 l d'air. Ainsi, la somme du volume courant et du volume de réserve inspiratoire se nomme C.I. (capacité inspiratoire). Elle est égale à environ 2 l.

→ Si on effectue une expiration prolongée et forcée, on rejette l'air appelé V.R.E. (volume de réserve expiratoire). Il correspond à 1,5 l. La somme du volume de réserve inspiratoire, du volume courant et du volume de réserve expiratoire constitue la C.V. (capacité vitale). Elle correspond à 3,5 l.

→ Lorsque, dans le cas d'une expiration forcée, on expulse le V.R.E., il reste encore de l'air appelé V.R. (volume résiduel). Il est d'environ 0,5 l. L'addition du volume d'air résiduel et du volume d'air de réserve expiratoire donne la C.R.F. (capacité résiduelle fonctionnelle). Elle correspond à 2 l.

→ La somme de la capacité vitale et du volume résiduel est la capacité pulmonaire totale. Elle est d'environ 4 l.

TABAC ET STRETCHING

Fumer et s'adonner à une discipline comme le stretching sont incompatibles car l'activité respiratoire y joue un rôle essentiel.

En effet, la fumée contient une quantité importante de radicaux libres accélérant le vieillissement, augmentant le mauvais cholestérol, diminuant les vitamines E et C, et altérant les systèmes respiratoire et cardiaque. Il est également connu que le tabac génère un spasme du pylore (orifice faisant communiquer l'estomac et le duodénum).

Les statistiques en France montrent que plus de 6000 décès par an sont dus à un tabagisme excessif ou passif. Le tabac réduit donc l'espérance de vie. Par conséquent, il ne faut pas hésiter à utiliser les substituts nicotiniques pour éviter les effets néfastes de cette drogue.

La respiration au cours d'un effort

Premier constat : le volume résiduel reste inchangé, même si l'effort est très important. En revanche, le V.C. (volume courant) augmente au fur et à mesure que le rythme respiratoire s'accélère, puis diminue ensuite légèrement. Le produit du volume courant par la fréquence respiratoire est le débit ventilatoire.
Il y a également une augmentation du volume de réserve expiratoire.

Ces deux augmentations engendrent une diminution plus ou moins forte du V.R.I. (volume de réserve inspiratoire).

POINT DE CÔTÉ ET STRETCHING

Le stretching constitue une excellente prévention du point de côté en raison du contrôle respiratoire et musculaire qu'il crée. Pour prévenir le point de côté, respirez par le ventre en prenant de larges inspirations et en expirant bien à fond et surtout... pensez à vous tenir le plus droit possible.

N'oubliez pas non plus de commencer doucement vos entraînements en ne forçant que progressivement.

La décontraction et les étirements doivent également faire partie de vos séances afin d'éviter toute contraction musculaire et stress de fatigue.

Il importe également de ne pas porter des vêtements serrés durant l'effort.

Les bienfaits respiratoires

Si vous pratiquez régulièrement le stretching, votre aisance respiratoire augmente, vos muscles et articulations s'assouplissent progressivement.

Votre capacité vitale (maximum d'air introduit dans les poumons en partant de l'état d'expiration forcée) est améliorée (pour un adulte : elle est de 3,5 l environ).

Le stretching est souvent recommandé aux personnes souffrant d'asthme (affection liée aux difficultés respiratoires) en raison du rôle important de la respiration.

ASTHME

Vous souffrez parfois de crises d'asthme pendant un exercice physique ? Vous n'êtes pas le seul ! Aujourd'hui, 1 personne sur 10 souffre d'asthme.

Les spécialistes conseillent en cas de crise lors d'une activité physique :
– de respirer uniquement par le nez ;
– de pratiquer un échauffement physique progressif et suffisamment long ;
– de prendre vos médicaments environ 5 minutes avant de commencer à vous exercer.

La natation est l'un des sports recommandés aux personnes souffrant d'asthme.

SEMAINE 1

SEMAINE 1

1. Étirement latéral du dos

↘ Faites 4 étirements alternés.

→ Debout, pieds parallèles, jambes semi-fléchies, bras à la verticale.
→ En inspirant doucement par le nez, attrapez votre poignet droit avec votre main gauche. En expirant lentement par la bouche, étirez le plus possible le bras droit vers le haut et vers l'arrière pendant 8 secondes.
→ Décontractez-vous complètement pendant une dizaine de secondes avant d'inverser la position.

Variante

→ Nouez vos doigts au-dessus de votre tête et étirez ainsi au maximum vos bras tendus pendant 10 secondes.
→ À répéter 4 fois.

CONSEIL
Étirez les épaules le plus possible vers l'arrière en permanence.

QUESTION/ RÉPONSE
Pourquoi faut-il faire une rétroversion du bassin (poussée vers l'avant) ?
Cette position présente une sécurité maximale pour la région lombaire. Il est conseillé de l'adopter systématiquement pour tous les exercices qui se font debout.

LUNDI

2. Étirement du tronc

↘ Faites 4 étirements alternés de chaque bras.

→ Debout, jambes écartées, semi-fléchies, basculez le corps vers l'avant en veillant à placer le dos parallèle au sol. Placez la main droite sur un support (table, meuble...), bras tendu. La main gauche est en appui sur la taille, l'épaule étirée vers l'arrière.
→ Exercez ainsi une extension dorsale et brachiale en tirant au maximum votre bassin vers l'arrière durant 10 secondes et en expirant par la bouche. Inspirez doucement par le nez en vous redressant.
→ Décontractez-vous complètement pendant une dizaine de secondes avant d'inverser la position.

Variante

→ Placez vos deux mains, bras écartés de la largeur des épaules, sur le support et étirez ainsi le bassin vers l'arrière durant 10 secondes.
→ À répéter 4 fois.

CONSEIL

Ayez le dos le plus plat possible mais surtout pas cambré.

QUESTION/ RÉPONSE

Peut-on réaliser cette posture avec les jambes serrées ?
Bien sûr, mais elle est plus facile à réaliser avec les jambes écartées, ce qui permet d'avoir une plus grande stabilité.

SEMAINE 1

3. Extension latérale du buste
↘ Faites 4 postures alternées.

→Assis, pied parallèles : fléchissez au maximum le buste latéralement, le bras droit tendu en élévation. Les épaules sont étirées vers l'arrière.
→Maintenez ainsi la posture en extension maximale, en expirant par la bouche durant 10 secondes. Inspirez doucement par le nez en vous redressant.
→Décontractez-vous complètement pendant une dizaine de secondes avant d'inverser la position.

Variante
→ Réalisez les mêmes flexions latérales, avec les deux bras tendus en élévation pendant 8 secondes.
→ À répéter 4 fois en alternance.

CONSEIL
Évitez de laisser aller le corps vers l'arrière, fléchissez bien le buste dans l'axe latéral du corps et surtout ne décollez pas les fessiers du siège.

QUESTION/ RÉPONSE
Pourquoi le bras en élévation doit-il être tendu ? Il permet un étirement latéral beaucoup plus complet.

4. Souplesse du bas du dos
↘ Faites 4 postures.

→ Assis, les jambes tendues et serrées, le dos plat, attrapez vos orteils avec vos mains et fléchissez le buste vers l'avant en inspirant par le nez.
→ Écartez ensuite vos coudes vers le haut au maximum durant 10 secondes en expirant par la bouche.
→ Inspirez doucement par le nez en vous redressant.
→ Décontractez-vous complètement pendant une dizaine de secondes avant de recommencer.

Variante
→ Faites la même posture, avec les jambes écartées, pendant 10 secondes.
→ À répéter 4 fois.

CONSEIL
Étirez au maximum la tête vers le haut afin d'avoir le dos le plus plat possible.

QUESTION/ RÉPONSE
En cas de manque de souplesse, peut-on fléchir les jambes ?
Non ! Il est préférable de garder les jambes tendues au maximum et de tenir avec les mains les chevilles au lieu des orteils.

SEMAINE 1

1. Étirement dorsal
↘ Faites 4 postures.

→ À genoux, les jambes légèrement écartées, fléchissez complètement le corps vers l'avant en inspirant par le nez.
→ Étirez les bras au maximum devant vous, écartés de la largeur des épaules, paumes sur le sol, en expirant par la bouche pendant 10 secondes. La tête est dirigée vers le bas.
→ Inspirez doucement par le nez en vous redressant.
→ Décontractez-vous complètement pendant une dizaine de secondes avant de recommencer.

Variante
→ Étirez simultanément un bras avec la jambe opposée pendant 12 secondes, puis inversez.
→ À répéter 4 fois en alternance.

CONSEIL
Le bassin doit être en permanence en appui sur les talons.

QUESTION/ RÉPONSE
Pourquoi doit-on maintenir le bassin sur les talons ?
Pour conserver le dos le plus plat possible pour la région lombaire.

2. Souplesse latérale de la taille
↘ Faites 4 postures alternées.

→ Debout, les jambes fléchies et légèrement écartées, les pieds parallèles, tendez les bras en élévation et entrelacez vos doigts, paumes tournées vers le haut, en inspirant doucement par le nez.
→ Fléchissez le buste latéralement pendant 10 secondes en expirant par la bouche. Inspirez par le nez en vous redressant doucement.
→ Décontractez-vous une dizaine de secondes avant d'inverser la position.

Variante
→ Réalisez la même posture en fléchissant les bras.
→ À répéter 4 fois en alternance.

CONSEIL
Les épaules sont haussées le plus possible et étirées vers l'arrière.

QUESTION/ RÉPONSE
Peut-on réaliser cet exercice avec les jambes tendues ou serrées ?
Oui, mais à condition d'avoir un dos tonique et de bien fléchir le buste sur le côté et surtout pas à l'arrière.

31

SEMAINE 1

3. Rotation du tronc
↘ Faites 4 postures alternées.

→ Assis : tendez la jambe droite, faites passer la jambe gauche fléchie au-dessus pour amenez le pied gauche le plus près possible du corps.
→ Tenez le genou gauche avec la main droite et placez la main gauche sur le sol le plus loin possible derrière le dos.
→ Tournez ainsi au maximum le corps vers la gauche pendant 15 secondes, en déplaçant la main gauche sur le sol, à l'arrière, vers la droite. La tête suit le mouvement.
→ Inspirez par le nez et expirez par la bouche le plus lentement possible.
→ Décontractez-vous complètement pendant une dizaine de secondes avant d'inverser la position.

CONSEIL
Le dos doit rester
à la verticale malgré
sa rotation.

**QUESTION/
RÉPONSE**
*La posture est-elle aussi
efficace si la jambe droite
n'est pas complètement
tendue ?*
Pas tout à fait ! L'extension
de la jambe équilibre
l'ensemble de la posture.

4. Souplesse des jambes
↘ Faites 4 postures alternées.

→ Assis, dos doit, jambes serrées devant soi, pieds en flexion : élevez le plus haut possible une des jambes en expirant par la bouche durant 10 secondes.
→ Inspirez doucement par le nez lors du changement de jambe.
→ Décontractez-vous complètement pendant une dizaine de secondes avant d'inverser la position.

Variante
→ Fléchissez la jambe qui reste au sol, ce qui rend la posture beaucoup plus facile à réaliser.
→ À répéter 4 fois en alternance.

CONSEIL
Privilégiez la position « dos droit » au détriment de l'élévation de la jambe.

QUESTION/ RÉPONSE
Peut-on réaliser cette technique adossé contre un mur ?
Oui ! Mais tout en conservant le dos droit.

SEMAINE 1

1. Étirement général
↘ Faites 4 postures alternées.

→ Debout, un pied en appui sur un support (chaise, tabouret, etc.), bras en élévation dans le prolongement du corps, doigts entrelacés, paumes dirigées vers le haut : étirez au maximum les bras vers le haut et l'avant en expirant par la bouche pendant 10 secondes. Le dos est plat.
→ Relâchez-vous complètement en arrondissant le dos et en inspirant doucement par le nez également pendant 10 secondes.
→ Décontractez-vous complètement pendant une dizaine de secondes avant d'inverser la position.

CONSEIL
Les épaules doivent être étirées au maximum vers l'arrière.

QUESTION/ RÉPONSE
Peut-on fléchir légèrement la jambe d'appui ?
Si cela vous semble vraiment trop difficile de la tendre, vous pouvez la fléchir, mais veillez toutefois à conserver un dos parfaitement plat.

2. Souplesse des épaules
↘ Faites 4 postures alternées.

→ Debout (ou éventuellement assis), jambes fléchies et écartées, placez la main gauche entre les omoplates en inspirant doucement par le nez.
→ Avec l'autre main, appuyez avec progression sur le coude gauche en élévation (afin de faire descendre au maximum la main gauche posée sur le dos) en expirant par la bouche, pendant 12 secondes.
→ Décontractez-vous complètement pendant une dizaine de secondes, avant d'inverser la position des mains.

CONSEIL
Dès le départ, placez l'épaule à assouplir le plus possible vers l'arrière.

QUESTION/ RÉPONSE
Peut-on tenir le bras au lieu du coude ?
Si on le fait, les muscles étirés ne sont pas les mêmes, cela correspond à un autre exercice qui réalise un étirement plus latéral.

SEMAINE 1

3. Rotation de la taille
↘ Faites 4 postures alternées.

→ Debout, jambes semi-fléchies et écartées,
réalisez une rotation maximale du tronc en étirant
un bras vers l'arrière, main sur l'épaule, et en
poussant le bassin devant vous, en expirant
par la bouche durant 8 secondes.
→ Inspirez doucement par le nez en revenant
de face.
→ Décontractez-vous complètement pendant une
dizaine de secondes avant d'inverser la position.

Variante
→ Réalisez la même posture avec les bras fléchis,
parallèles au sol.
→ À répéter 4 fois.

CONSEIL
Conservez le bassin bien
de face, évitez absolument
de le tourner.

**QUESTION/
RÉPONSE**
*Doit-on faire une
rétroversion du bassin
(poussée vers l'avant) en
cas de fragilité lombaire ?*
Oui ! Cela constitue une
sécurité supplémentaire
par rapport à la flexion
de jambes.

Les talons doivent être le plus près possible du bassin et rester immobiles durant toute la posture.

QUESTION/ RÉPONSE

Pourquoi ne pas mettre les mains sur l'intérieur des genoux directement ? Tout simplement parce qu'il s'agit d'une autre technique étirant d'une façon plus soutenue les adducteurs et nécessitant un exercice d'échauffement préalable.

4. Souplesse des adducteurs

↘ Faites 3 postures.

→ Assis en tailleur, dos plat légèrement penché, talons près du bassin, bras à l'intérieur des jambes, les mains tenant les chevilles : écartez les cuisses avec les coudes en exerçant une pression continue de 15 secondes et en expirant par la bouche.
→ Inspirez doucement par le nez en laissant remonter les genoux.
→ Décontractez-vous complètement pendant une dizaine de secondes avant de recommencer.

Variante

→ Appuyez avec les mains sur un genou pendant 15 secondes, puis sur l'autre.
→ À répéter 4 fois en alternance.

SEMAINE 1

1. Étirement du haut du dos
↘ Faites 4 postures.

→ Debout, jambes fléchies (ou assis), le dos droit : entrelacez les doigts derrière la nuque et étirez ainsi au maximum les coudes vers l'arrière pendant 8 secondes en expirant lentement par la bouche.
→ Inspirez doucement par le nez en ramenant les bras le long du corps.
→ Décontractez-vous complètement pendant une dizaine de secondes avant de recommencer.

Variante
→ Placez vos mains légèrement au-dessus de la tête, au lieu de la nuque.
→ À répéter 4 fois.

CONSEIL
Ne poussez pas sur la nuque avec les mains.

QUESTION/ RÉPONSE
Peut-on placer les mains derrière le crâne plutôt que derrière la nuque ?
C'est évidemment possible, mais la posture est nettement plus efficace si les bras sont placés le plus bas possible.

2. Souplesse du dos et de la taille

↘ Faites 3 postures.

→ Debout, jambes tendues, légèrement éxartées, fléchissez lentement au maximum le buste vers l'avant jusqu'à ce que les mains touchent le sol. La tête est relâchée.

→ Maintenez la phase maximale d'extension durant 15 secondes en inspirant par le nez et en expirant par la bouche le plus lentement possible.

→ Décontractez-vous complètement pendant une douzaine de secondes avant de recommencer.

Variante

→ Au lieu de placer les mains sur le sol perpendiculairement, vous pouvez les avancer le plus loin possible devant vous.

CONSEIL

Prenez bien le temps de vous détendre complètement.

QUESTION/ RÉPONSE

Est-il préférable de fléchir les jambes et de toucher le sol avec les mains ou de conserver les jambes tendues et de ne pas toucher le sol ?

Il vaut mieux ne pas fléchir les jambes.

SEMAINE 1

3. Flexion latérale du buste
↘ Faites 4 postures alternées.

→ Debout, pieds parallèles, jambes écartées (une tendue, une fléchie) : fléchissez latéralement le buste du côté de la jambe tendue, un bras en extension tandis que la main de l'autre bras repose sur le mollet.
→ Tenez l'extension pendant 10 secondes en expirant par la bouche.
→ Inspirez par le nez en redressant le buste.
→ Décontractez-vous complètement pendant une dizaine de secondes avant d'inverser la position.

Variante
→ Attrapez la cheville, au lieu de laisser glisser la main le long de la jambe, et fléchissez le coude, le buste étant ainsi légèrement penché vers l'avant.
→ À répéter 4 fois en alternance.

CONSEIL
Veillez à écarter suffisamment les jambes, afin d'optimiser la posture sans pencher le buste vers l'avant.

QUESTION/ RÉPONSE
Peut-on placer les pieds en ouverture ?
Oui, mais cela constitue ainsi une variante plus facile que la posture de base.

4. Écart latéral des jambes
↘ Faites 4 postures.

→ Allongé sur le dos, la tête sur le sol, jambes élevées en hyper-extension, pieds en flexion, écartez-les au maximum avec les mains, coudes fléchis vers l'extérieur, pendant 15 secondes en inspirant
et en expirant doucement par le nez. Les pieds sont en flexion.
→ Décontractez-vous complètement en repliant les jambes sur la poitrine pendant une douzaine de secondes avant de recommencer.

Variante
→ Pratiquez la même posture avec les pieds en extension.
→ À répéter 4 fois en alternance.

CONSEIL
Écartez les jambes plutôt ramenées vers le buste que vers l'arrière afin d'éviter tous risques de courbure lombaire.

QUESTION/ RÉPONSE
Peut-on relever la tête pour réaliser cet exercice ?
Mieux vaut l'éviter !
Votre tête peut toutefois reposer sur un ou plusieurs coussins.

SEMAINE 1

1. Décontraction et étirement dorsal
↘ Faites 3 postures.

→ Debout, arrondissez la totalité du dos, tête baissée, durant 10 secondes en expirant par la bouche.
→ Les bras sont fléchis, les coudes dirigés vers le haut. Ramenez doucement le dos bien à plat en inspirant par le nez pendant 6 secondes.
→ Décontractez-vous complètement pendant une dizaine de secondes avant de recommencer.

Variante
→ Pratiquez le même mouvement dorsal en étant à quatre pattes.
→ À répéter 4 fois.

CONSEIL
Arrondissez le dos dans son ensemble et non partiellement.

QUESTION/ RÉPONSE
Peut-on tendre les jambes avec cette technique ?
Oui, mais si vous êtes néophyte en stretching, il vaut mieux préférer la posture de base avec les jambes fléchies.

2. Souplesse du buste
↘ Faites 4 postures alternées.

→ Debout, jambes tendues et écartées, fléchissez au maximum le buste sur la jambe gauche pendant 15 secondes en inspirant par le nez et en expirant par la bouche le plus lentement possible.
→ Décontractez-vous complètement pendant une dizaine de secondes avant d'inverser la position.

Variante
→ Pratiquez la même posture avec les pieds en ouverture.
→ À répéter 4 fois.

CONSEIL
Il ne s'agit pas de positionner le front sur la jambe en ayant le dos rond, mais de mettre le ventre et la poitrine sur le tibia en ayant le dos parfaitement plat.

QUESTION/ RÉPONSE
Doit-on écarter les jambes au maximum ?
Si cela vous est possible, oui ! Mais veillez à bien conserver les pieds parallèles.

SEMAINE 1

3. Souplesse du buste et des adducteurs

↘ Faites 4 postures alternées.

→ À genoux, étirez devant vous la jambe droite le plus possible (bien dans l'axe de son articulation tendue), les paumes sur le sol de chaque côté de la jambe. Le tibia est en appui sur le sol.

→ Fléchissez au maximum le corps sur cette jambe pendant 12 secondes en inspirant par le nez et en expirant par la bouche le plus lentement possible. La tête est baissée dans le prolongement du dos.

→ Décontractez-vous complètement pendant une dizaine de secondes avant d'inverser la position.

Variante

→ Inversez la position des jambes ; fléchissez devant vous la jambe avant et tendez la jambe arrière.

→ À répéter 4 fois en alternance.

CONSEIL

N'arrondissez surtout pas le dos. C'est le ventre et la poitrine qui doivent toucher la jambe et non pas le front !

QUESTION/ RÉPONSE

La posture devient-elle très différente si on soulève la plante du pied placé en avant, l'appui étant alors sur le talon ?

Oui, l'étirement n'est plus exactement le même, il devient plus facile ! Cette position peut être une variante supplémentaire.

VENDREDI

4. Étirement des jambes
↘ Faites 4 postures alternées.

→ Allongé sur le dos, la jambe gauche fléchie, talon près du fessier, amenez avec la main droite la jambe droite tendue sur le côté, pied en flexion, talon sur le sol. Le bras gauche est tendu sur le côté, paume sur le sol.
→ Maintenez l'extension maximale pendant 15 secondes en inspirant par le nez et en expirant par la bouche le plus lentement possible.
→ Décontractez-vous complètement pendant une dizaine de secondes avant de changer de côté.

Variante
→ Décollez du sol le pied de la jambe en extension.
→ À répéter 4 fois en alternance.

CONSEIL
Conservez le dos droit parfaitement immobile en ramenant la jambe. Pour un meilleur confort, votre nuque peut reposer sur un coussin.

QUESTION/RÉPONSE
Pourquoi doit-on placer le talon de la jambe fléchie le plus près possible du bassin ?
Tout simplement pour éviter tout risque de courbure lombaire.

SEMAINE 1

1. Souplesse et décontraction de la nuque
↘ Faites 4 postures.

→ Debout (ou assis), le dos légèrement arrondi, appuyez avec douceur et progression sur la partie inférieure de la tête avec les mains, doigts entrecroisés, pendant 10 secondes en expirant par la bouche. Les coudes sont dirigés vers le bas. Gardez les épaules décontractées.
→ Redressez ensuite doucement la tête en inspirant par le nez.
→ Décontractez-vous complètement une dizaine de secondes avant de recommencer.

Variante
→ Réalisez la même posture en positionnant les mains plus vers le sommet du crâne.
→ À répéter 4 fois en alternance.

CONSEIL
Exercez une pression continue et progressive, surtout sans à-coups.

QUESTION/ RÉPONSE
Pourquoi appuie-t-on sur la tête et non sur la nuque directement ?
Pour l'obtention d'un étirement efficace au niveau des vertèbres cervicales. En effet, il vaut mieux exercer une pression sur la tête afin d'arrondir au maximum les vertèbres cervicales sans traumatisme.

SAMEDI

2. Étirement des épaules
↘ Faites 4 postures alternées.

→ Debout, jambes fléchies (ou assis), élevez votre bras droit. Placez la main droite entre les omoplates, le plus bas possible.
→ Remontez ensuite votre avant-bras gauche au milieu du dos afin d'attraper vos doigts. La tête est levée.
→ Gardez la posture durant 30 secondes.
→ Inspirez et expirez le plus lentement possible durant toute la réalisation de la technique.
→ Décontractez-vous complètement pendant une douzaine de secondes avant d'inverser la position.

Variante
→ Placez d'une façon identique votre main droite entre les omoplates. Appuyez ainsi avec votre main gauche sur le coude droit pendant 10 secondes en expirant par la bouche avant d'inverser.
→ À répéter 4 fois en alternance.

CONSEIL
Prenez le temps de descendre la main supérieure le plus bas possible, avant d'attraper l'autre.

QUESTION/ RÉPONSE
En cas de difficulté pour croiser les mains, comment peut-on faire ?
Aidez-vous avec un bâton ou une sangle tenus dans le dos, dans une position identique, et rapprochez les mains l'une de l'autre progressivement.

SEMAINE 1

3. Souplesse de la taille

↘ Faites 4 postures alternées en écartant un peu plus les jambes à chaque fois.

→ Debout, jambes écartées, croisez la jambe droite tendue derrière la gauche fléchie, élevez et tendez le bras droit au maximum. La main gauche est sur la taille.
→ Fléchissez ainsi au maximum la taille vers la gauche, pendant 10 secondes en expirant par la bouche.
→ Inspirez doucement par le nez en redressant le buste. Gardez les épaules de face.
→ Décontractez-vous une dizaine de secondes avant d'inverser la position.

CONSEIL
Écartez au maximum les jambes, sans fléchir le buste vers l'avant.

QUESTION/ RÉPONSE
Peut-on s'appuyer sur un support avec la main pour réaliser cette posture ?
Oui. Cela ne nuit en aucune façon à la technique, mais on n'améliore pas son équilibre.

CONSEIL
Conservez les jambes dans
l'axe de leur articulation.

**QUESTION/
RÉPONSE**
*Peut-on ouvrir vers
l'extérieur le pied de la
jambe d'appui ?*
Oui, mais dans ce cas,
l'étirement sollicite
d'autres groupes
musculaires.

4. Étirement des jambes
↘ Faites 4 postures alternées.

→ Debout, les épaules tirées vers l'arrière, le dos
droit, appuyez une jambe devant vous, sur un
support, bien dans l'axe de son articulation.
→ Déplacez ensuite progressivement vers l'arrière
la jambe d'appui. Maintenez l'écart maximal 15
secondes en inspirant par le nez et en expirant
doucement par la bouche.
→ Décontractez-vous pendant une vingtaine de
secondes avant d'inverser la position.

Variante
→ Réalisez la même posture en plaçant les pieds
parallèles au support (tout en conservant le buste
de face). Cette variante est plus difficile à réaliser
que la posture initiale.
→ À répéter 4 fois en alternance.

SEMAINE 2

SEMAINE 2

1. Étirement dorsal

↘ Faites 4 postures alternées.

→ Debout, bras en extension maximale, doigts noués, paumes dirigées vers l'extérieur, un pied en appui sur le sol, l'autre sur un support (chaise, meuble, tabouret...) : poussez le bassin vers l'avant pendant 15 secondes en inspirant par le nez et en expirant par la bouche, le plus lentement possible.
→ Décontractez-vous complètement pendant une dizaine de secondes avant d'inverser la position.
→ Replacez-vous ensuite en éloignant un peu plus, à chaque fois, le pied d'appui du support.

CONSEIL

Ne penchez pas le buste vers l'avant : conservez le dos le plus droit possible.

QUESTION/ RÉPONSE

Peut-on fléchir légèrement la jambe d'appui ?
Oui. Toutefois, si on minore la difficulté, on diminue également l'efficacité de la technique.

CONSEIL
Privilégiez l'inclinaison
latérale du corps
à la flexion en avant ;
cette technique vise un
étirement latéral de la
taille et non de la région
lombaire.

**QUESTION/
RÉPONSE**
*Le genou de la jambe
fléchie doit-il être étiré le
plus possible vers l'arrière ?*
Oui ! Plus il est positionné
en arrière, plus la
technique est efficace.

2. Flexion avant du buste
↘ Faites 4 postures alternées.

→ Assis, jambes écartées au maximum (une jambe
repliée, le talon le plus près possible du bassin,
l'autre tendue, le pied en flexion), entourez le genou
gauche avec la main droite et attrapez la cuisse
droite (ou le tibia droit) avec la main gauche.
→ Fléchissez ainsi au maximum le buste, dos plat,
devant vous en fléchissant les coudes pendant
8 secondes en expirant par la bouche.
→ Inspirez doucement par le nez en vous
redressant complètement.
→ Décontractez-vous complètement pendant une
dizaine de secondes avant d'inverser la position.

Variante
→ Pratiquez la même posture en tenant le pied
de la jambe en extension avec la main opposée.
→ À répéter 4 fois en alternance.

SEMAINE 2

3. Rotation du buste
↘ Faites 4 postures alternées.

→ Debout, le dos à un mur, réalisez une rotation maximale du tronc sur votre gauche (en ayant le bras gauche tendu, la main gauche sur le mur, et le bras droit fléchi, la main droite également sur le mur). La tête est tournée au maximum.
→ Maintenez la posture pendant 10 secondes en expirant lentement par la bouche.
→ Inspirez par le nez en replaçant le buste de face.
→ Décontractez-vous complètement pendant une dizaine de secondes avant d'inverser la position.

CONSEIL
Conservez le bassin de face. Évitez à tout prix de désaxer les genoux.

QUESTION/ RÉPONSE
À quelle distance doit-on se placer du mur ?
À environ 20 cm.

4. Souplesse des adducteurs
↘ Faites 3 postures.

→ À genoux, basculez le buste vers l'avant
en plaçant les avant-bras écartés de la largeur
des épaules, sur le sol. La tête est baissée.
→ Écartez les jambes au maximum, tibias sur le sol.
→ Restez ainsi en écart maximal des adducteurs
durant 15 secondes en inspirant par le nez
et en expirant par la bouche.
→ Décontractez-vous complètement une douzaine
de secondes avant de recommencer.

CONSEIL
Conservez le dos le plus
plat possible.

**QUESTION/
RÉPONSE**
*Peut-on être en appui sur
les mains au lieu des avant-
bras ?*
Oui ! Mais la technique est
un peu moins performante
et le risque de cambrure
amplifié.

SEMAINE 2

1. Étirement dorsal
↘ Faites 4 postures.

→ À genoux, élevez au maximum les bras écartés, doigts en extension maximale, en expirant le plus lentement possible par la bouche pendant 8 secondes.
→ Abaissez ensuite doucement les bras en inspirant par le nez.
→ Décontractez-vous complètement pendant une dizaine de secondes avant de recommencer.

Variante
→ Réalisez la même technique en position assise, si possible les jambes en tailleur.
→ À répéter 3 fois.

CONSEIL
Évitez de laisser partir le corps vers l'arrière : il doit rester parfaitement droit.

QUESTION/ RÉPONSE
Est-il possible de réaliser cette technique les jambes serrées ?
Il est plus facile de réaliser cet exercice avec les jambes écartées afin de mieux conserver son équilibre.

2. Souplesse des épaules

↘ Faites 3 postures.

→ Debout, jambes fléchies et écartées, pratiquez une flexion avant du buste en ramenant les bras le plus possible vers l'avant, doigts entrelacés, paumes dirigées vers l'intérieur.

→ Maintenez au maximum la flexion du buste et l'inclinaison des bras pendant 8 secondes en expirant lentement par la bouche.

→ Redressez-vous complètement et lentement après chaque technique en inspirant par le nez pendant 8 secondes.

→ Décontractez-vous complètement pendant une douzaine de secondes avant de recommencer, pour éviter tout risque d'étourdissement.

CONSEIL

Ne fléchissez pas les bras. Ils doivent rester en permanence en extension maximale.

QUESTION/ RÉPONSE

Peut-on tendre les jambes sans craindre des tiraillements au niveau du dos ?

Oui ! Toutefois la posture avec les jambes écartées et en extension est moins stable, mais assouplit plus les jambes.

SEMAINE 2

3. Flexion latérale de la taille
↘ Faites 4 postures alternées.

→ Assis sur le sol, jambes tendues et écartées, les pieds en flexion, bras parallèles en extension maximale, les poings serrés : fléchissez au maximum le buste latéralement durant 10 secondes en expirant par la bouche.
→ Redressez doucement le buste en inspirant par le nez.
→ Décontractez-vous complètement pendant une dizaine de secondes avant de recommencer.

Variante
→ Réalisez la même technique en nouant les doigts, paumes tournées vers le haut.
→ À répéter 4 fois en alternance.

CONSEIL
Ne penchez pas le corps vers l'avant : la flexion du corps doit bien être dans l'axe latéral.

QUESTION/ RÉPONSE
Peut-on décoller un fessier du sol ?
Non ! Il faut avoir le bassin entièrement en appui sur le sol.

SEMAINE 2

4. Souplesse des adducteurs
↘ Faites 4 postures.

→ Assis, face à un support (meuble, table, lit, etc.), jambes en écart maximal : rapprochez au maximum le corps du support. Fléchissez les bras, les coudes dirigés vers le haut.

→ Maintenez la posture 30 secondes en inspirant par le nez et en expirant par la bouche le plus lentement possible.

→ Décontractez-vous complètement pendant 30 secondes également avant de recommencer.

→ Efforcez-vous d'écarter un peu plus vos jambes à chaque nouvelle position.

Variante
→ Pratiquez la même technique, mais en surélevant les talons (avec des livres, par exemple).

→ À répéter 4 fois.

CONSEIL
Conservez le dos droit durant toute la durée de la technique et évitez toute flexion.

QUESTION/ RÉPONSE
Vaut-il mieux tendre les bras, en les écartant plus ?
Non ! On a plus de force en les conservant fléchis, afin de rapprocher au maximum le corps du support.

SEMAINE 2

1. Étirement dorsal
↘ Faites 3 postures.

→ Allongé sur le dos, jambes repliées légèrement écartées, bras dans le prolongement du corps, paumes dirigées vers le haut : étirez au maximum les bras pendant 8 secondes en expirant par la bouche.
→ Inspirez doucement par le nez en ramenant les bras le long du corps.
→ Décontractez-vous complètement pendant une dizaine de secondes avant de recommencer.

Variante
→ Réalisez la même technique en étirant un bras après l'autre.
→ À répéter 4 fois en alternance.

CONSEIL
Vous pouvez, dans cette position, surélever votre nuque et vos reins avec un petit coussin ou une serviette roulée.
Veillez (dans la mesure du possible) à ce que les épaules et les bras touchent entièrement le sol.

QUESTION/ RÉPONSE
Peut-on relever les jambes fléchies vers soi en cas d'extrême fragilité lombaire ?
Oui !

SEMAINE 2

2. Flexion latérale de la taille
↘ Faites 4 postures alternées.

→ Assis, jambes écartées le plus possible, fléchissez latéralement le buste au maximum sur la jambe gauche en tenant le pied gauche par l'extérieur, avec la main gauche pendant 8 secondes en expirant par la bouche. Le bras droit est en extension.
→ Redressez doucement et complètement le buste en inspirant par le nez.
→ Décontractez-vous complètement pendant une dizaine de secondes, avant d'inverser la position.

Variante
→ Pratiquez la même posture, mais au lieu de tenir le pied par l'extérieur, tenez-le par les orteils (ce qui est plus facile !) en décollant le talon.
→ À répéter 4 fois en alternance.

CONSEIL
Tirez au maximum le bras en extension vers l'arrière tout en fléchissant le plus possible l'autre.

QUESTION/ RÉPONSE
Si on n'atteint pas le pied avec la main, peut-on fléchir la jambe ?
Non, il vaut mieux attraper la cheville ou le mollet par exemple ; gardez le plus possible les jambes en extension.

MERCREDI

SEMAINE 2

3. Souplesse avant du tronc
↘ Faites 4 postures.

→ Debout, jambes écartées le plus possible, fléchissez au maximum le buste vers l'avant en attrapant vos chevilles avec les mains pendant 8 secondes en expirant par la bouche. Le dos doit rester plat, la nuque non creusée.
→ Redressez-vous complètement et lentement en inspirant par le nez.
→ Décontractez-vous durant une dizaine de secondes avant de recommencer.

Variante
→ Placez vos mains sur le sol le plus possible à l'arrière, au lieu de tenir les mollets.
→ À répéter 4 fois en alternance.

CONSEIL

Conservez le dos bien droit en le fléchissant sur les jambes.

QUESTION/ RÉPONSE

Est-ce que cette posture est aussi efficace si on fléchit les jambes ?
Elle est différente ! Elle paraît plus facile au départ, mais est aussi performante pour assouplir le dos que la basique si on la pratique avec application, en ayant toujours les pieds parallèles. Elle étire cependant moins les jambes.

MERCREDI

4. Équilibre et souplesse des jambes
↘ Faites 3 postures.

→ Assis, adossé à un mur, attrapez vos pieds avec vos mains et élevez lentement avec précaution vos jambes jusqu'à leur extension maximale. Écartez-les ainsi le plus possible, durant 8 secondes, en expirant lentement par la bouche.
→ Ramenez ensuite doucement les pieds sur le sol en contrôlant bien les gestes et en inspirant par le nez.
→ Décontractez-vous complètement pendant une dizaine de secondes avant de recommencer.

Variante
→ Réalisez la même technique en ramenant au maximum les jambes vers le mur au lieu de les écarter le plus possible. Si vous êtes très performant, conjuguez les deux difficultés !
→ À répéter 3 fois.

CONSEIL
Contractez bien vos muscles abdominaux afin de conserver un équilibre le plus stable possible.

QUESTION/ RÉPONSE
Comment réaliser cette technique d'une façon plus aisée ?
Tout simplement, en fléchissant un peu les jambes et en tirant au maximum la tête vers le haut.

SEMAINE 2

1. Étirement du haut du dos

↘ Faites 4 postures.

→ Allongé sur le ventre, étirez-vous au maximum, les jambes serrées et les bras dans le prolongement du corps, paumes retournées vers l'extérieur, pendant 12 secondes en inspirant par le nez et en expirant par la bouche le plus lentement possible.
→ Placez éventuellement un petit coussin ou une serviette roulée sous le ventre pour éviter toute courbure lombaire.
→ Décontractez-vous complètement pendant une dizaine de secondes avant de recommencer.

Variante

→ Réalisez la même technique avec les paumes tournées vers vous.
→ À répéter 4 fois.

CONSEIL
Ne décollez du sol ni les pieds, ni les mains pendant l'extension.

QUESTION/ RÉPONSE
Est-ce la même chose si on réalise cette posture sur le dos ?
C'est aussi un étirement dorsal, mais les muscles sont étirés différemment et les sensations perçues ne sont pas les mêmes.

2. Rotation de la taille

↘ Faites 4 postures alternées.

→ Debout, réalisez une rotation du tronc en conservant les bras tendus en croix en permanence. Les poings doivent être serrés et dirigés vers le bas.
→ Maintenez la posture d'extension maximale durant 8 secondes en expirant lentement par la bouche.
→ Revenez de face en inspirant doucement par le nez avant de recommencer de l'autre côté. Décontractez-vous complètement pendant une dizaine de secondes avant d'inverser la position.

Variante

→ Pratiquez la même posture en position assise en tailleur.
→ À répéter 4 fois en alternance.

CONSEIL

Conservez le bassin de face en permanence, tout en ayant les bras étirés le plus possible vers l'arrière durant toute la rotation.

QUESTION/ RÉPONSE

Peut-on garder la tête de face durant la rotation ? C'est tout à fait possible si vous ne souffrez pas de fragilité cervicale ! Mais il est plus logique de la tourner dans le sens de la rotation.

SEMAINE 2

3. Flexion latérale du buste
↘ Faites 4 postures alternées.

→ Assis, jambes écartées au maximum, fléchissez le plus possible le buste au-dessus d'une jambe pendant 15 secondes, en inspirant par le nez et en expirant par la bouche le plus lentement possible. Gardez le dos le plus plat possible.
→ Décontractez-vous complètement pendant une dizaine de secondes avant d'inverser la position.

Variante
Réalisez la même technique en passant les doigts entrelacés derrière le pieds.
À réaliser 4 fois en alternace.

CONSEIL
Ne décollez pas le fessier opposé pendant la durée de l'étirement ; le bassin doit rester entièrement en appui sur le sol.

QUESTION/ RÉPONSE
Est-il normal de ressentir l'étirement également au niveau des muscles adducteurs (intérieur des cuisses) en plus de ceux du dos ?
Oui, cela signifie que vous réalisez très bien la posture et que vos jambes sont suffisamment écartées.

4. Étirement de la cuisse
↘ Faites 4 postures alternées.

→ Debout, le dos droit, jambe d'appui semi-fléchie, pressez fortement votre talon contre la fesse avec les mains pendant 8 secondes en expirant par la bouche.
→ Inspirez doucement par le nez en reposant la jambe sur le sol.
→ Décontractez-vous complètement une dizaine de secondes avant d'inverser la position.

Variante
→ Pratiquez la même posture allongé sur le ventre (avec un coussin sous la taille pour éviter toute cambrure lombaire).
→ À réaliser 4 fois en alternance.

CONSEIL
Conservez bien votre jambe dans l'axe de son articulation. Si vous manquez d'équilibre, vous pouvez appuyer une main sur un support éventuel (meuble, table, chaise...).

QUESTION/ RÉPONSE
En cas de difficulté pour attraper son pied, comment faire ?
Dans la même position, plaquez votre coup de pied contre un mur derrière vous et... appuyez en douceur. Cela vous assouplira efficacement.

SEMAINE 2

1. Étirement dorsal
↘ Faites 3 postures.

→ Debout, jambes écartées au maximum, pieds parallèles, basculez le buste vers l'avant, les bras écartés de la largeur des épaules.
→ Prenez appui sur le sol avec vos mains.
→ Étirez ainsi au maximum vos bras devant vous pendant 12 secondes en inspirant par le nez et en expirant par la bouche le plus lentement possible.
→ Décontractez-vous complètement une dizaine de secondes avant de recommencer.

Variante
→ Réalisez la même technique avec les pieds en ouverture.
→ À répéter 3 fois.

CONSEIL
Ne vous contentez pas d'étirer les bras devant vous ; pensez aussi à placer le bassin le plus possible vers l'arrière.

QUESTION/ RÉPONSE
Peut-on placer les avant-bras sur le sol ?
Si vous le faites, cela ne constitue plus la même technique. Cela devient alors un assouplissement des adducteurs et non un étirement dorsal.

VENDREDI

2. Rotation de la taille

↘ Faites 4 postures alternées.

→ Assis, jambes tendues et serrées devant vous, les pieds en flexion, effectuez une rotation à gauche du tronc en essayant de mettre les mains sur le sol, le plus loin possible dans le dos vers la droite. La tête suit le mouvement.
→ Conservez la posture en amplitude maximale pendant 10 secondes en expirant doucement par la bouche.
→ Inspirez lentement par le nez en replaçant le buste de face.
→ Décontractez-vous complètement pendant une dizaine de secondes avant d'inverser la position.

Variante
→ Pratiquez la même posture avec les jambes écartées au maximum.
→ À répéter 4 fois en alternance.

CONSEIL
Ne laissez pas aller le corps vers l'arrière.

QUESTION/ RÉPONSE
Peut-on réaliser cette technique avec les jambes fléchies ?
Oui ! À condition de toujours conserver le bassin de face. Toutefois, l'efficacité de la technique est de ce fait amoindrie.

SEMAINE 2

3. Flexion latérale de la taille
↘ Faites 4 postures alternées.

→ À genoux, les jambes légèrement écartées, un bras levé en extension maximale, fléchissez latéralement au maximum le tronc sur un côté (en ayant éloigné le plus possible le bras d'appui près du corps), pendant 12 secondes en inspirant par le nez et en expirant par la bouche très lentement.
→ Décontractez-vous pendant une dizaine de secondes avant d'inverser la position.

Variante
→ Pratiquez la même posture en ayant les genoux écartés le plus possible, puis tendez une des deux jambes sur le côté.
→ À répéter 4 fois en inversant la position.

CONSEIL
Placez l'épaule du bras en élévation le plus possible vers l'arrière.

QUESTION/ RÉPONSE
Peut-on décoller un peu le genou opposé au bras d'appui ?
Absolument pas !
Il importe de conserver le genou en permanence sur le sol. Il ne faut surtout pas le décoller afin de mieux fléchir le buste !

VENDREDI

4. Souplesse latérale de la jambe
↘ Faites 4 postures alternées.

→ Debout, la jambe d'appui semi-fléchie, une main en appui sur un support, ramenez l'autre jambe, latéralement le plus près possible de la tête, le pied flex, en inspirant par le nez et en expirant par la bouche le plus lentement possible durant 15 secondes.
→ Décontractez-vous complètement pendant une vingtaine de secondes avant d'inverser la position.

Variante
→ Réalisez la même posture en fléchissant le plus possible la jambe d'appui.
→ À répéter 4 fois.

CONSEIL
Conservez le dos le plus droit possible en ramenant la jambe.

QUESTION/ RÉPONSE
Doit-on ramener la jambe uniquement latéralement ou également vers l'arrière ?
On doit la ramener le plus près possible de la tête et le plus loin possible vers l'arrière.

SEMAINE 2

1. Étirement général du corps
↘ Faites 4 postures alternées.

→ Debout, penchez le corps vers l'avant,
en prenant appui avec les mains sur un support
(meuble, table, etc.).
→ Élevez ainsi une jambe tendue vers l'arrière.
→ Étirez au maximum cette jambe pendant
8 secondes en expirant doucement par la bouche.
La jambe d'appui est semi-fléchie.
→ Inspirez par le nez en reposant la jambe
sur le sol.
→ Décontractez-vous complètement pendant une
dizaine de secondes avant de changer de jambe.

Variante
→ Pratiquez la même technique en prenant appui
sur le support avec seulement la main opposée
à la jambe élévatrice.
→ À répéter 4 fois en alternance.

CONSEIL
Ne cambrez surtout pas la
région lombaire, conservez
le dos le plus plat possible.

QUESTION/ RÉPONSE
*Peut-on réaliser cette
technique avec la jambe
d'appui tendue ?*
Oui ! Mais il importe de
bien positionner le dos afin
d'éviter toute cambrure
lombaire.

SEMAINE 2

2. Flexion latérale du buste
↘ Faites 4 postures alternées.

→ Debout, jambes tendues et serrées, penchez le corps sur le côté en prenant appui avec la main sur un support (meuble, table…).

→ Éloignez progressivement cette main du corps en la faisant glisser sur le support et en inspirant par le nez, puis en expirant par la bouche le plus lentement possible.

→ Décontractez-vous complètement pendant une dizaine de secondes avant d'inverser la position.

Variante
→ Réalisez la même technique avec les jambes écartées.
→ À répéter 4 fois en alternance.

CONSEIL
Pensez à étirer la tête vers le haut en permanence.

QUESTION/ RÉPONSE
Peut-on fléchir le bras d'appui ?
Non ! Il importe de le conserver le plus tendu possible, afin d'optimiser la posture.

3. Souplesse des jambes et équilibre
↘ Faites 4 postures alternées.

→ À genoux, fléchissez au maximum une jambe devant vous tout en maintenant le talon de l'autre jambe contre la fesse.
→ Étirez bien les épaules vers l'arrière.
→ Poussez ainsi avec la main le plus possible la jambe avant vers l'avant pendant 12 secondes en inspirant par le nez et en expirant par la bouche.
→ Décontractez-vous complètement pendant une dizaine de secondes avant d'inverser la position..

Variante
→ Réalisez la même technique en désaxant vers l'extérieur la jambe avant.
→ À répéter 4 fois en alternance.

CONSEIL
Gardez la tête levée en permanence afin de ne pas entraîner en la fléchissant une position dorsale arrondie.

QUESTION/ RÉPONSE
Peut-on prendre appui sur le sol avec une main si l'on manque d'équilibre ?
Il vaut mieux se tenir près d'une chaise, par exemple, et prendre appui sur celle-ci avec la main afin de conserver le buste droit. Évitez à tout prix de désaxer le corps.

SEMAINE 2

4. Étirement des adducteurs
↘ Faites 3 postures.

→ Allongé sur le dos, les jambes tendues
et écartées au maximum, pieds en flexion,
en appui contre un mur, exercez une pression
de 30 secondes avec les mains au-dessus
des chevilles en inspirant par le nez et en expirant
par la bouche le plus doucement possible.
→ Décontractez-vous complètement une quinzaine
de secondes avant de recommencer.

Variante
→ Réalisez la même technique en plaçant les pieds
perpendiculaires au mur (tout en conservant
le buste de face).
→ Cette variante est plus difficile à réaliser
que la posture initiale.

CONSEIL
Collez bien le bassin contre
le mur.

**QUESTION/
RÉPONSE**
*Cette posture assouplit-
elle autant si les jambes
sont fléchies ?*
**Non, sauf si vous écartez
les jambes en extension
maximale, puis que vous
les fléchissez sans bouger
les talons.**

SEMAINE 3

SEMAINE 3

1. Étirement dorsal
↘ Faites 4 postures.

→ Allongé sur le dos, étirez ainsi au maximum pendant 15 secondes jambes et bras en inspirant par le nez et en expirant par la bouche le plus lentement possible.
→ Les jambes sont tendues et serrées, les bras écartés de la largeur des épaules.
→ Appuyez le plus possible sur le sol avec les lombaires durant toute la posture.
→ Décontractez-vous pendant une dizaine de secondes avant de recommencer.

Variante
→ Réalisez la même technique avec les jambes écartées.
→ À répéter 4 fois.

CONSEIL
N'hésitez pas à décoller les talons du sol pendant toute la phase d'étirement si vous percevez mieux ainsi la technique.

QUESTION/ RÉPONSE
Peut-on rouler une serviette sous les reins pour réaliser cette technique si l'on est couché sur le ventre par exemple ?
Oui ! C'est indispensable.

2. Flexion latérale du buste
↘ Faites 4 postures alternées.

→ Assis en tailleur, étirez vos bras le plus possible derrière la tête et attrapez vos coudes avec les mains.
→ Fléchissez ainsi au maximum le buste sur un côté pendant 8 secondes en expirant doucement par la bouche.
→ Redressez le buste le plus lentement possible en inspirant par le nez.
→ Décontractez-vous complètement pendant une dizaine de secondes avant d'inverser la position.

Variante
→ Réalisez la même technique en tendant les bras à la verticale.
→ À répéter 4 fois.

CONSEIL
Tirez au maximum
les épaules vers l'arrière
en permanence.

**QUESTION/
RÉPONSE**
*Peut-on décoller le bassin
du sol lors de l'extension
maximale ?*
Cela n'engendre pas de
conséquences négatives
sur la colonne vertébrale.
En revanche, cela accentue
le déséquilibre.

SEMAINE 3

3. Souplesse des jambes
↘ Faites 4 postures alternées.

→ Debout, bras en élévation, paumes tournées vers le haut, les doigts entrelacés, placez (entièrement si possible) une jambe sur un support. Éloignez ainsi l'autre progressivement du support.
→ Maintenez l'extension maximale pendant 20 secondes en inspirant par le nez et en expirant le plus lentement possible par la bouche.
→ Décontractez-vous complètement pendant une dizaine de secondes avant d'inverser la position.

Variante
→ Réalisez la même technique en penchant le buste latéralement du côté opposé au support.
→ À répéter 4 fois.

CONSEIL

Le dos doit rester droit et parfaitement immobile (évitez de le pencher vers l'avant).

QUESTION/ RÉPONSE

Peut-on faire une rétroversion du bassin avec cette technique ? Oui ! Mais cela modifie la posture d'une façon importante. Ne le faites que si vraiment vous avez un état d'hyperlordose (reins creusés).

4. « Ramené » en diagonale du genou vers l'épaule opposée
↘ Faites 4 postures alternées.

→ Debout, adossé contre un mur, jambe d'appui semi-fléchie, ramenez en diagonale, à l'aide des mains, le genou droit vers le pectoral gauche. Les coudes sont dirigés vers le haut.
→ Maintenez la position d'étirement maximal pendant 20 secondes en inspirant par le nez et en expirant doucement par la bouche.
→ Décontractez-vous complètement pendant une dizaine de secondes avant d'inverser la position.

Variante
→ Réalisez la même technique en ayant la jambe étirée tendue devant soi (c'est nettement plus difficile).
→ À répéter 4 fois.

CONSEIL
Ne fléchissez pas le dos vers l'avant.

QUESTION/ RÉPONSE
Peut-on attraper la jambe au lieu du genou ?
Non ! Car il est alors plus difficile d'étirer la cuisse en diagonale.

SEMAINE 3

1. Étirement vertébral

↘ Faites 4 postures.

→ Assis les jambes légèrement écartées, bras en extension maximale et les poings serrés, étirez-les au maximum vers le haut, le dos plat penché vers l'avant, pendant 8 secondes en expirant doucement par la bouche.

→ Inspirez par le nez en redescendant doucement les bras le long du corps.

→ Décontractez-vous complètement pendant une dizaine de secondes avant de recommencer.

CONSEIL

Veillez à vous asseoir au milieu du siège et non complètement au bord.

QUESTION/ RÉPONSE

Jusqu'où doit-on pencher le corps vers l'avant ? Jusqu'à 45° environ !

2. Flexion latérale de la taille
↘ Faites 4 postures alternées.

→ Debout, jambes bien écartées, fléchissez le buste vers l'extérieur d'une jambe.
→ Posez les mains sur le sol, à l'extérieur des pieds.
→ Étirez ainsi le plus possible le dos pendant 12 secondes en inspirant par le nez et en expirant par la bouche.
→ Décontractez-vous complètement pendant une douzaine de secondes avant de changer de côté.

Variante
→ Pratiquez la même posture en fléchissant la jambe du côté où vous placez les mains.
→ À répéter 4 fois en alternance.

CONSEIL
Évitez le plus possible d'arrondir la région lombaire, elle doit rester le plus plate possible.

QUESTION/ RÉPONSE
Doit-on écarter les jambes au maximum ?
Si possible, oui ! Toutefois, il vaut mieux, pour la qualité de la technique, moins écarter les jambes en conservant les pieds parallèles plutôt que de les écarter beaucoup en ayant les pieds en ouverture.

SEMAINE 3

3. Écartement antéro-postérieur avec les jambes fléchies

↘ Faites 4 postures alternées.

→ Debout, placez vos jambes fléchies en fente avant, en prenant appui sur le sol avec les mains de part et d'autre du corps.
→ Maintenez l'écart maximal pendant 12 secondes en inspirant par le nez et en expirant par la bouche le plus lentement possible.
→ Décontractez-vous complètement pendant une vingtaine de secondes avant d'inverser la position.

Variante
→ Réalisez la même posture avec les jambes tendues.
→ À répéter 4 fois en alternance.

CONSEIL
Conservez bien les jambes dans leur axe.

QUESTION/ RÉPONSE
Doit-on fléchir une jambe plus que l'autre ?
Il est bien sûr préférable de les garder symétriques mais cela ne constitue pas une faute d'en fléchir une plus que l'autre.

MARDI

SEMAINE 3

4. Assouplissement en diagonale de la jambe

↘ Faites 4 postures alternées.

→ Allongé sur le dos, les jambes tendues, élevez une jambe en diagonale vers l'épaule opposée en tenant le mollet avec les bras fléchis pendant 15 secondes, en inspirant par le nez et en expirant doucement par la bouche.

→ Décontractez-vous complètement pendant une vingtaine de secondes avant d'inverser la position.

Variante

→ Réalisez la même technique avec la jambe élevée en flexion.

→ À répéter 4 fois en alternance.

CONSEIL

Ne décollez pas les épaules du sol.

QUESTION/ RÉPONSE

Peut-on surélever la tête avec un petit coussin pour réaliser cette technique ?
Oui, si vous en ressentez vraiment le besoin.

SEMAINE 3

1. Étirement dorsal
↘ Faites 3 postures.

→ Allongé sur le dos, les jambes serrées et tendues en extension maximale, pieds en flexion, bras dans le prolongement du corps : étirez les jambes vers le haut et les bras vers l'arrière pendant 15 secondes en inspirant par le nez et en expirant par la bouche le plus lentement possible.
→ Décontractez-vous complètement pendant une dizaine de secondes avant de recommencer.

Variante
→ Réalisez la même posture avec les jambes et les bras écartés.
→ À répéter 3 fois.

CONSEIL
Plaquez bien vos lombaires contre le sol.

QUESTION/ RÉPONSE
Doit-on soulever légèrement le bassin durant la posture ?
Non ! Il doit rester bien en appui sur le sol.

MERCREDI

SEMAINE 3

2. Flexion latérale
↘ Faites 4 postures alternées.

→ À genoux, les bras tendus au maximum dans le dos, paumes dirigées vers l'intérieur, doigts entrelacés : fléchissez latéralement la taille en expirant par la bouche pendant 10 secondes.
→ Inspirez doucement par le nez en vous redressant.
→ Décontractez-vous complètement pendant une dizaine de secondes, avant d'inverser la position.

Variante
→ Réalisez la même technique avec les paumes dirigées vers l'extérieur (c'est un peu plus difficile...).
→ À répéter 4 fois en alternance.

CONSEIL
Le corps doit être fléchi sur le côté, mais surtout pas vers l'avant.

QUESTION/ RÉPONSE
Peut-on décoller un peu du sol le genou opposé au côté fléchi de la taille ? Non ! Il doit rester bien en appui sur le sol.

MERCREDI

3. Écartement des jambes
↘ Faites 3 postures alternées.

→ Assis, jambes écartées, face à un support
(meuble, table, etc.), placez une jambe sur
ce support devant vous ainsi que vos mains.
→ Rapprochez le plus possible le buste de la jambe
en élévation pendant 15 secondes, en inspirant
par le nez et en expirant par la bouche le plus
lentement possible. Veillez à garder le dos droit.
→ Décontractez-vous complètement pendant
une vingtaine de secondes avant de recommencer.

Variante
→ Réalisez la même posture en surélevant votre
bassin avec un annuaire, un coussin, une grosse
serviette...
→ À répéter 3 fois.

CONSEIL
Veillez à placer votre
bassin le plus possible
perpendiculaire au sol.

QUESTION/
RÉPONSE
*Peut-on placer les mains
à l'arrière en appui sur
le sol au lieu de les mettre
sur un support ?*
Si vous les mettez sur
le sol, pensez à bien étirer
vos épaules vers l'arrière,
gardez le dos droit et, avec
vos mains, faites avancer
le bassin au maximum
vers le support.

SEMAINE 3

4. Étirement du dos et des jambes
↘ Faites 4 postures alternées.

→ Debout, placez, dans la mesure du possible, complètement une jambe sur un support (commode, table, appui de canapé) et étirez ainsi vos mains sur le sol devant la jambe d'appui, en gardant le dos plat, pendant 10 secondes en expirant par la bouche. Les jambes sont tendues au maximum à angle droit, les bras tendus sont parallèles.
→ Relevez le buste très lentement en expirant par le nez et en fléchissant la jambe d'appui.
→ Décontractez-vous complètement une vingtaine de secondes avant d'inverser la position.

Variante
→ Réalisez la même technique en entrelaçant les doigts, paumes tournées vers l'extérieur.

CONSEIL
Placez votre bassin le plus près possible du support.

QUESTION/ RÉPONSE
Peut-on fléchir la jambe d'appui si l'on manque d'équilibre ?
Oui ! Vous pouvez également prendre appui avec une main sur le support, si vraiment vous n'avez aucune stabilité. Choisissez bien la hauteur de votre support, quel qu'il soit (table, meuble, chaise), afin de ne pas le trouver trop élevé pendant la phase d'étirement.

SEMAINE 3

1. Étirement du haut du dos latéralement

↘ Faites 3 postures.

→ Debout jambes fléchies ou assis : placez les bras en croix, doigts serrés en extension, en les étirant au maximum pendant 15 secondes en inspirant par le nez et en expirant par la bouche le plus lentement possible.

→ Décontractez-vous pendant une dizaine de secondes avant de recommencer.

Variante

→ Réalisez la même technique avec les poings serrés.

→ À répéter 3 fois.

CONSEIL

Étirez les épaules au maximum à l'arrière.

QUESTION/ RÉPONSE

Peut-on réaliser cette posture avec les bras plus élevés ?

Oui ! Mais cela ne sollicite pas tout à fait les mêmes fibres musculaires.

2. Extension de la taille en flexion latérale

↘ Faites 4 postures alternées.

→ À partir de la position agenouillée, le bras droit tendu en élévation avec l'épaule étirée au maximum vers l'arrière, tendez latéralement la jambe droite, en prenant appui sur le bras gauche.
→ Maintenez la posture pendant 8 secondes en expirant par la bouche.
→ Inspirez par le nez en vous remettant lentement à genoux.
→ Décontractez-vous pendant une dizaine de secondes avant d'inverser la position.

Variante
→ Réalisez la même technique en décollant du sol la jambe tendue.
→ À répéter 4 fois en alternance.

CONSEIL
Le dos doit rester droit : évitez à tout prix d'accentuer la lordose lombaire naturelle.

QUESTION/ RÉPONSE
Est-il possible de fléchir un peu le bras d'appui ?
Oui ! Veillez quand même à ce que cela n'ait pas de conséquence sur le placement du dos.

SEMAINE 3

3. Flexion avant du buste

↘ Faites 4 postures alternées.

→ Debout jambes tendues, un pied devant l'autre : fléchissez le buste vers l'avant en relevant le pied avant (orteils décollés) et en posant les mains sur le sol de chaque côté de la jambe avant.
→ Rapprochez ainsi au maximum le buste de la jambe avant pendant 12 secondes en inspirant par le nez et en expirant par la bouche le plus lentement possible.
→ Décontractez-vous complètement pendant une quinzaine de secondes avant d'inverser la position.

Variante

→ Pratiquez la même technique en fléchissant la jambe arrière et en relevant les orteils du pied avant.
→ À répéter 4 fois en alternance.

CONSEIL

Cherchez à mettre le ventre et la poitrine sur la jambe, et non pas le front !

QUESTION/ RÉPONSE

Peut-on éloigner les pieds l'un de l'autre au lieu de les faire se toucher ?
Si la technique de base vous semble trop difficile, vous pouvez en effet éloigner le pied arrière, mais il doit bien rester dans l'axe de l'autre.

4. Souplesse des adducteurs
↘ Faites 4 postures alternées.

→ Debout, jambe d'appui semi-fléchie et adossé à un mur : élevez latéralement une jambe en tenant la cheville ou la plante du pied par l'intérieur. Le pied est fléchi.
→ Maintenez l'élévation maximale du pied durant 12 secondes en inspirant et en expirant par le nez le plus lentement possible.
→ Décontractez-vous pendant une quinzaine de secondes avant d'inverser la posture.

Variante
→ Réalisez la même technique en maintenant l'extrémité du pied de la jambe élévatrice avec la main.
→ À répéter 4 fois.

CONSEIL
Veillez non seulement à élever le plus haut possible la jambe, mais également à la tirer au maximum vers l'arrière sans bouger le dos.

QUESTION/ RÉPONSE
Comment faire pour conserver son équilibre le mieux possible ?
Plaquez bien l'ensemble de votre corps contre un mur derrière vous et... appuyez en douceur. Cela vous aidera efficacement.

SEMAINE 3

1. Étirement général du corps
↘ Faites 3 postures.

→ Assis le dos droit, bras en élévation à 45°, poings serrés, jambes écartées à 45° : étirez ainsi bras et jambes (pieds en flexion) pendant 15 secondes en inspirant par le nez et en expirant par la bouche le plus lentement possible.
→ Décontractez-vous pendant une douzaine de secondes avant de recommencer.

Variante
→ Pratiquez la même technique avec les membres serrés.
→ À répéter 3 fois.

CONSEIL
Gardez bien toute
la colonne vertébrale
et les bras en contact avec
le mur durant l'étirement.

QUESTION/ RÉPONSE
Peut-on surélever le bassin avec un petit coussin pour réaliser cette technique ?
Oui, si vous vous sentez mieux !

2. Rotation de la taille
↘ Faites 4 postures alternées.

→ Assis (en tailleur de préférence), la main droite posée sur le genou gauche : étirez au maximum le bras gauche et le buste vers la gauche en gardant le bassin de face pendant 8 secondes en expirant doucement par la bouche. La tête suit le mouvement.
→ Inspirez par le nez en revenant lentement de face.
→ Décontractez-vous complètement pendant une dizaine de secondes avant d'inverser la posture.

Variante
→ Réalisez la même posture avec les jambes tendues et écartées.
→ À répéter 4 fois.

CONSEIL
Évitez de contracter les jambes pendant la rotation ; essayez au contraire de les garder décontractées en permanence.

QUESTION/ RÉPONSE
Peut-on fléchir le bras parallèle au sol ?
Oui ! Toutefois, veillez à bien conserver la pose en extension de tout le corps. La posture avec le bras tendu permet de mieux stabiliser le corps.

SEMAINE 3

3. Flexion avant du corps

↘ Faites 4 postures alternées.

→ Debout, le talon du pied droit devant les orteils du pied gauche, la jambe gauche fléchie au maximum : fléchissez ainsi le plus possible le corps vers l'avant pendant 10 secondes en inspirant par le nez et en expirant par la bouche le plus doucement possible.
→ Relevez-vous très lentement également pendant 10 secondes en pratiquant le même rythme respiratoire. Veillez à dérouler vertèbre par vertèbre.
→ Décontractez-vous complètement pendant une douzaine de secondes avant de recommencer.

Variante
→ Pratiquez la même technique en croisant les pieds.
→ À répéter 4 fois en inversant la position des pieds à chaque fois.

CONSEIL
Fléchissez la jambe arrière, sans décoller le talon avant.

QUESTION/ RÉPONSE
Si les mains ne touchent pas le sol, vaut-il mieux les laisser pendre devant soi ou attraper ses genoux ?
Il vaut mieux attraper ses jambes et tenter de gagner les chevilles centimètre par centimètre.

VENDREDI

4. Souplesse de la cuisse
↘ Faites 4 postures alternées.

→ Debout, adossé à un mur, ramenez la jambe fléchie le plus possible vers vous et vers le haut en entourant le genou de vos mains, doigts entrelacés, en expirant lentement par la bouche durant 8 secondes.
→ Inspirez par le nez en reposant doucement a jambe. La jambe d'appui est semi-fléchie.
→ Décontractez-vous complètement pendant une dizaine de secondes avant d'inverser la position.

Variante
→ Réalisez la même posture en fléchissant le plus possible la jambe d'appui.
→ À répéter 4 fois en alternance.

CONSEIL
Ramenez le plus possible le genou contre la poitrine en fléchissant les bras au maximum sans fléchir le buste vers l'avant.

QUESTION/ RÉPONSE
Peut-on réaliser cette technique sans s'appuyer contre un mur ?
Oui ! N'oubliez cependant pas de conserver la jambe d'appui en demi-flexion. C'est beaucoup plus difficile !

SEMAINE 3

1. Étirement des épaules
↘ Faites 3 postures.

→ Debout jambes tendues et légèrement écartées :
fléchissez le buste vers l'avant, dos plat parallèle
au sol, doigts entrelacés derrière la nuque.
→ Étirez au maximum les coudes vers l'arrière
pendant 8 secondes en expirant longuement
par la bouche, immobile dans cette posture.
→ Inspirez par le nez en vous redressant
entièrement, le dos rond, le plus lentement possible.
→ Décontractez-vous complètement pendant
une douzaine de secondes avant de recommencer.

Variante
→ Réalisez la même posture avec les jambes
fléchies et très écartées.
→ À répéter 3 fois.

CONSEIL
Ne creusez surtout pas
le dos ; il doit rester
parfaitement plat.

QUESTION/
RÉPONSE
*Peut-on réaliser cette
technique jambes écartées
et en appui sur les orteils ?*
Oui ! Toutefois, cette
variante est assez
difficile, même si elle est
extrêmement efficace
au niveau du stretching.

2. Rotation du tronc
↘ Faites 4 postures alternées.

→ À genoux, les cuisses légèrement écartées :
élevez vos bras à la verticale, paumes dirigées
vers le haut.
→ Réalisez ensuite une rotation maximale du tronc
pendant 15 secondes en inspirant par le nez
et en expirant par la bouche doucement.
→ Décontractez-vous complètement pendant une
dizaine de secondes avant d'inverser la position.

Variante
→ Réalisez la même technique en fléchissant les
bras.
→ À répéter 4 fois.

CONSEIL
Veillez à conserver
le bassin de face.

**QUESTION/
RÉPONSE**
*Doit-on écarter les genoux
au maximum ?*
Cela n'est pas une
obligation, car le but
de cette posture est
l'assouplissement
de la taille.
Vous pouvez cependant
augmenter la difficulté
en écartant au maximum
les jambes.

SEMAINE 3

3. Flexion du buste au-dessus d'une jambe tendue

↘ Faites 4 postures alternées.

→ À genoux, tendez une jambe devant vous (dans le plan de son articulation), pied en flexion : étirez ainsi le dos en plaçant les bras devant vous dans l'axe de la jambe tendue pendant 8 secondes en expirant par la bouche. Inspirez par le nez en vous redressant entièrement et lentement, le dos rond.

→ Décontractez-vous complètement pendant une dizaine de secondes avant d'inverser la position.

Variante

→ Réalisez la même technique avec la plante du pied de la jambe en extension sur le sol.

→ À répéter 4 fois en alternance.

CONSEIL

Écartez suffisamment les jambes, même si cela paraît beaucoup plus difficile.

QUESTION/ RÉPONSE

Peut-on désaxer un peu les jambes afin de mieux conserver son équilibre ? Un peu, oui ! Toutefois, la posture de base se réalise avec les jambes dans deux plans parallèles.

SEMAINE 3

4. Assouplissement des adducteurs
↘ Faites 3 postures.

→ Assis, adossé à un mur, jambes écartées en élévation : placez vos pieds sur deux supports (des chaises, par exemple), puis tendez les jambes. Écartez-les bien, tout en les tirant vers l'arrière avec les mains.
→ Maintenez l'extension maximale pendant 15 secondes en inspirant par le nez et en expirant par la bouche le plus lentement possible avec les mains sur les hanches.
→ Décontractez-vous complètement pendant 30 secondes avant de recommencer en écartant un peu plus les supports.

Variante
→ Réalisez la même posture sans vous adosser à un mur avec les pieds en extension.
→ À répéter 3 fois.

CONSEIL
Avant tout, fixez une ligne verticale et élevez vos jambes avec progression : ne cherchez pas à les tendre tout de suite.

QUESTION/ RÉPONSE
Est-il préférable d'élever une jambe puis l'autre ? Non ! Afin de conserver au mieux son équilibre, il est conseillé d'élever les jambes simultanément.

SEMAINE 4

SEMAINE 4

1. Extension générale du corps

↘ Faites 4 postures alternées.

→ Debout, le dos plaqué contre un mur, en équilibre sur les orteils : ramenez avec la main droite la jambe droite en flexion vers la poitrine.
→ Élevez le bras gauche à la verticale.
→ Étirez-vous ainsi pendant 8 secondes en expirant par la bouche.
→ Reposez lentement la jambe en élévation sur le sol en inspirant par le nez.
→ Décontractez-vous pendant une dizaine de secondes avant d'inverser la position.

CONSEIL

Tout le corps doit être en contact avec le mur.

QUESTION/ RÉPONSE

Le genou de la jambe fléchie doit-il absolument toucher la poitrine ?
Oui, car il importe de bien étirer l'arrière de la cuisse, ainsi qu'une partie de la région lombaire sur le sol.

2. Flexion latérale du buste

↘ Faites 4 postures alternées.

→ Debout, une jambe posée en totalité sur un support (table, meuble...). Fléchissez latéralement le buste sur la jambe. Les bras sont tendus.
→ Maintenez l'extension maximale durant 15 secondes en inspirant par le nez et en expirant par la bouche le plus doucement possible.
→ Décontractez-vous complètement pendant une dizaine de secondes avant d'inverser la position.

Variante

→ Réalisez la même posture en écartant la jambe au maximum du support d'appui.
→ À répéter 4 fois.

CONSEIL

La jambe d'appui et la jambe sur le support doivent être à angle droit.

QUESTION/ RÉPONSE

Peut-on placer le pied de la jambe d'appui en «Ðouverture Ð» (pied dirigé vers l'extérieur du corps) ?
Oui ! Cette variante ne constitue pas une erreur, mais, dans le cadre de cette position, ce ne sont pas exactement les mêmes fibres musculaires qui sont étirées.

SEMAINE 4

3. Rotation du buste
↘ Faites 4 postures alternées.

→ Debout, bras en élévation, les épaules haussées et étirées vers l'arrière, les doigts entrelacés, paumes dirigées vers l'extérieur, et une jambe entièrement posée latéralement sur un support, réalisez une rotation latérale du corps.
→ Maintenez l'extension maximale pendant 15 secondes en inspirant par le nez et en expirant par la bouche le plus doucement possible.
→ Décontractez-vous complètement pendant une dizaine de secondes avant d'inverser la position.

CONSEIL
Ayez toujours à l'esprit pendant toute la réalisation de la posture d'étirer au maximum votre corps vers le haut.

QUESTION/ RÉPONSE
Peut-on placer la jambe sur un support assez haut afin d'assouplir encore plus les jambes en même temps que la taille ?
Si vous êtes un peu expérimenté, on ne peut que vous le conseiller.

CONSEIL

Dans la position de départ, la jambe d'appui est contre le support et s'éloigne au fur et à mesure. Le talon de la jambe fléchie touche l'intérieur de l'autre jambe.

QUESTION/ RÉPONSE

Le buste et les bras doivent-ils toujours rester perpendiculaires au sol, pendant toute la durée de la technique ?
Oui ! C'est essentiel.

4. Écart des jambes

↘ Faites 4 postures alternées.

→ Debout, bras en élévation, paumes dirigées vers le haut, les doigts entrelacés, un pied sur un support.
→ Écartez la jambe d'appui du support. Maintenez l'écart maximal pendant 20 secondes en inspirant par le nez et en expirant par la bouche le plus doucement possible.
→ Décontractez-vous complètement pendant une dizaine de secondes avant d'inverser la position.

Variante

→ Réalisez la même technique en plaçant le pied de la jambe d'appui en ouverture.

SEMAINE 4

1. Étirement dorsal
↘ Faites 4 postures.

→ Allongé sur le dos, les mollets en appui sur un siège (tabouret, chaise, etc.), les pieds en flexion, l'arrière des cuisses est perpendiculaire au sol : étirez au maximum les bras dans le prolongement du corps, paumes dirigées vers le haut pendant 20 secondes en inspirant par le nez et en expirant par la bouche le plus lentement possible.
→ Décontractez-vous pendant une dizaine de secondes avant de recommencer.

Variante
→ Pratiquez la même technique avec les jambes et les bras écartés.

CONSEIL
Ayez bien le creux des genoux en contact avec le bord du siège.

QUESTION/ RÉPONSE
Le dessus des mains doit-il être décollé du sol ?
De préférence, non ! Toute la surface des membres supérieurs doit être en contact avec le soli.

2. Étirement de la taille
↘ Faites 4 postures alternées.

→ Allongé sur le dos, bras dans le prolongement du corps, paumes dirigées vers le haut, genoux ramenés vers la poitrine : ramenez les jambes sur un côté.
→ Maintenez la posture de rotation maximale pendant 15 secondes en inspirant par le nez et en expirant par la bouche le plus lentement possible.
→ Décontractez-vous pendant une dizaine de secondes avant d'inverser la position.

Variante
→ Réalisez la même technique en tendant les jambes.

CONSEIL
Les épaules ne doivent absolument pas se décoller du sol.

QUESTION/ RÉPONSE
Les genoux doivent-ils toucher le sol ?
Si possible, oui ! Mais sans décoller les genoux l'un de l'autre.

SEMAINE 4

3. Souplesse des poignets

↘ Faites 3 postures.

→ Debout ou assis, joignez vos mains, doigts dirigés vers le bas : montez ainsi les poignets le plus haut possible sans décoller les paumes et en gardant les coudes dirigés vers le bas.
→ Maintenez l'étirement maximal durant 15 secondes en inspirant par le nez et en expirant par la bouche le plus doucement possible.
→ Décontractez-vous complètement pendant une dizaine de secondes avant de recommencer.

Variante

→ Réalisez la même posture avec les doigts écartés au maximum (sans toutefois décoller les paumes).

CONSEIL

La partie externe du petit doigt doit être en permanence en contact avec le sternum.

QUESTION/ RÉPONSE

Doit-on privilégier le serrage des paumes en permanence, mais en gardant les mains moins perpendiculaires au sol, plutôt que de décoller les paumes et conserver les mains moins à angle droit ? Il vaut mieux ne pas décoller les paumes l'une de l'autre.

4. Écart des jambes fléchies
↘ Faites 4 postures.

→ Assis, adossé contre un mur : écartez en élévation vos jambes fléchies en tenant vos pieds avec vos mains.
→ Maintenez la posture en écart maximal pendant 12 secondes en inspirant par le nez et en expirant par la bouche le plus doucement possible.
→ Décontractez-vous complètement pendant une quinzaine de secondes avant de recommencer.

Variante
→ Réalisez la même posture avec les pieds en extension.

CONSEIL
N'adossez pas qu'une partie du dos contre le mur : dans l'absolu, il doit être entièrement en contact avec l'appui.

QUESTION/ RÉPONSE
La posture est-elle plus facile à réaliser si l'on tire également les jambes vers l'arrière ?
Théoriquement oui ! Cela rend également la technique plus efficace. Mais il importe de bien écarter et tirer vers l'arrière les jambes symétriquement.

SEMAINE 4

1. Étirement général
↘ Faites 4 postures.

→ Assis (sur une chaise ou un tabouret), bras en élévation les poings serrés, jambes tendues devant vous : étirez ainsi bras et jambes au maximum pendant 8 secondes en expirant par la bouche.
→ Inspirez lentement par le nez en ramenant les membres en position normale. Étirez bien les épaules vers l'arrière.
→ Décontractez-vous complètement pendant une dizaine de secondes avant de recommencer.

CONSEIL
N'hésitez pas à vous adosser au siège si cela peut vous aider.

QUESTION/ RÉPONSE
Doit-on s'asseoir au bord du siège ou, au contraire, tout au fond ?
Peu importe ! L'essentiel étant que votre dos soit droit et vos jambes en extension maximale, bien parallèles au sol.

2. Souplesse avant de la taille

↘ Faites 3 postures.

→ Assis au bord d'un siège (tabouret, chaise, etc.), buste penché vers l'avant, jambes en grande ouverture, mains sur le sol (placez vos mains le plus loin possible devant vous sur le sol).
→ Maintenez ainsi l'extension maximale pendant une dizaine de secondes en expirant par la bouche le plus lentement possible.
→ Inspirez bien à fond et doucement par le nez en vous redressant très lentement.
→ Décontractez-vous complètement pendant une quinzaine de secondes avant de recommencer.

Variante
→ Réalisez la même technique en tendant les jambes.

CONSEIL
Ne décollez pas les fessiers du siège.

QUESTION/ RÉPONSE
Comment avoir vraiment le dos plat ?
Il faut rectifier sa position dorsale au fur et à mesure en commençant par la région lombaire, puis en redressant ensuite le reste de la colonne. Si vous avez quelques difficultés, au lieu de conserver la nuque dans le prolongement de la colonne vertébrale, relevez la tête, cela vous aidera !

SEMAINE 4

3. Étirement des muscles adducteurs

↘ Faites 4 postures alternées.

→ À genoux, placez la main droite sur le sol, latéralement.
→ Élevez la jambe gauche de l'autre côté en tenant le pied gauche avec la main gauche.
→ Étirez bien les épaules vers l'arrière.
→ Maintenez ainsi l'élévation maximale durant 8 secondes en expirant par la bouche.
→ Contrôlez bien ensuite l'abaissement de la jambe en inspirant doucement par le nez.
→ Décontractez-vous complètement pendant une dizaine de secondes.

Variante
→ Réalisez la même posture en plaçant la jambe étirée devant vous et non pas sur le côté.

CONSEIL

Pour une bonne stabilité de la posture : placez la main d'appui sur le même axe que le genou et la jambe en élévation.

QUESTION/ RÉPONSE

Peut-on prendre appui sur le sol avec les orteils pour renforcer l'équilibre de la posture ?
Oui ! Mais veillez à bien conserver le mollet dans l'axe de la jambe.

4. Écart des jambes
↘ Faites 4 postures alternées.

→ Debout, jambes écartées, fléchissez une jambe.
→ Placez ensuite les avant-bras sur le sol (ou les mains si vous êtes insuffisamment souple).
→ Maintenez l'avancée maximale des avant-bras (ou des mains) pendant 20 secondes sur le sol en inspirant par le nez et en expirant par la bouche le plus lentement possible.
→ Décontractez-vous complètement en vous redressant pendant une quinzaine de secondes.

Variante
→ Réalisez la même posture avec les pieds en ouverture.

CONSEIL
Prenez le temps de bien vous placer afin d'avoir les jambes écartées au maximum.

QUESTION/ RÉPONSE
Doit-on continuer à écarter les jambes tout en avançant les avant-bras ?
Oui ! Vous pouvez également prendre appui avec une main sur le support. Choisissez bien la hauteur de votre support afin de ne pas le trouver trop élevé pendant la phase d'étirement.

SEMAINE 4

1. Étirement général

↘ Faites 4 postures alternées.

→ Debout, jambes tendues et serrées, en équilibre sur les orteils, étirez devant vous le bras gauche dans l'axe de son articulation et le bras droit le plus possible vers l'arrière. Les poings sont serrés.
→ Maintenez ainsi l'extension maximale pendant 12 secondes en inspirant par le nez et en expirant par la bouche le plus doucement possible.
→ Décontractez-vous complètement pendant une dizaine de secondes avant d'inverser la position.

CONSEIL

À l'instar des autres postures d'équilibre, n'hésitez pas à fixer une ligne verticale.

QUESTION/ RÉPONSE

Peut-on vriller un peu le corps avec cette posture ? Non ! Cette posture concerne un étirement des épaules et non une souplesse rotative du corps.

2. Flexion latérale de la taille

↘ Faites 4 postures alternées.

→ Debout, bras fléchis en élévation les mains tenant les coudes, jambes croisées, fléchissez latéralement le buste. Les épaules sont étirées au maximum vers l'arrière.
→ Maintenez l'extension maximale durant 20 secondes en inspirant par le nez et en expirant par la bouche le plus doucement possible.
→ Décontractez-vous pendant une dizaine de secondes avant d'inverser la position.

CONSEIL
Évitez à tout prix de fléchir la tête vers l'avant car il importe de conserver la tête et le dos sans aucune flexion avant.

QUESTION/ RÉPONSE
Peut-on tenir les avant-bras au lieu des coudes ?
Si vraiment votre amplitude articulaire des bras ne vous permet pas de réaliser la posture de base, vous pouvez effectivement maintenir vos avant-bras sans trop réduire l'efficacité de la technique.

SEMAINE 4

3. Rotation de la taille
↘ Faites 4 postures alternées.

→ Debout, jambes écartées et tendues au maximum, fléchissez le buste devant vous.
→ Placez le bras gauche au milieu des jambes, élevez le bras droit le plus possible à l'arrière. Étirez les épaules au maximum vers l'arrière.
→ Maintenez l'extension maximale du bras droit vers l'arrière pendant 15 secondes en inspirant par le nez et en expirant par la bouche le plus lentement possible.
→ Décontractez-vous complètement pendant une quinzaine de secondes avant d'inverser la position.

Variante
→ Réalisez la même technique avec les pieds dirigés vers l'extérieur (ce qui peut entraîner un écart des jambes plus grand).

CONSEIL
Pensez à bien étirer votre nuque pendant toute la durée de l'étirement afin de conserver le dos bien plat.

QUESTION/ RÉPONSE
Est-ce une obligation que de toucher le sol avec les doigts ?
Non ! Dans un cas de forte rigidité articulaire, éloignez plus les pieds vers l'arrière, mais ils doivent bien rester parallèles.

4. Assouplissement des adducteurs
↘ Faites 4 postures alternées.

→ Allongé sur le ventre, l'avant-bras droit
replié sous le menton, jambes tendues dans le
prolongement du corps : ramenez la jambe gauche
avec la main gauche vers le visage.
→ Maintenez l'extension maximale durant
20 secondes en inspirant par le nez et en expirant
par la bouche le plus lentement possible.
→ Décontractez-vous pendant une quinzaine
de secondes avant d'inverser la posture.

Variante
→ Réalisez la même technique avec le pied
de la jambe étirée en extension.

CONSEIL
Veillez à ne pas bouger
la jambe dans le
prolongement du corps
lorsque vous ramenez
l'autre vers le visage.

**QUESTION/
RÉPONSE**
*Peut-on fléchir un
peu la jambe dans le
prolongement du corps ?*
Oui, mais cela enlève une
partie de l'efficacité de la
technique.

SEMAINE 4

1. Étirement dorsal et souplesse des adducteurs

↘ Faites 4 postures alternées.

→ Assis, les jambes écartées au maximum, la jambe droite fléchie, talon près du bassin, l'autre tendue : écartez la jambe droite avec la main droite (main sur l'intérieur du genou) et étirez le bras gauche à la verticale.

→ Maintenez simultanément les deux extensions pendant 15 secondes en inspirant par le nez et en expirant par la bouche le plus lentement possible.

→ Variante
Réalisez la même posture en tendant au maximum le pied de la jambe tendue.

CONSEIL

Le dos doit rester le plus droit possible et les fesses doivent être bien en appui sur le sol.

QUESTION/ RÉPONSE

Est-il conseillé de s'adosser à un mur pour réaliser cette posture ?
Si vous êtes réellement raide : oui ! Si vous êtes normalement souple : non ! En effet, si vous vous adossez, vous avez moins la possibilité de bien étirer le bras en extension vers l'arrière.

2. Souplesse de la taille et des épaules

↘ Faites 4 postures alternées.

→ Assis ou debout, jambes fléchies, doigts entrelacés derrière la nuque, réalisez une rotation du buste, les coudes étirés au maximum vers l'arrière.

→ Maintenez l'extension maximale pendant 15 secondes en inspirant par le nez et en expirant par la bouche le plus lentement possible.

→ Décontractez-vous complètement pendant une dizaine de secondes avant d'inverser la position.

Variante

→ Réalisez la même technique en plaçant chaque main sur l'omoplate opposée.

CONSEIL

Le bassin doit impérativement rester de face.

QUESTION/ RÉPONSE

Peut-on tourner la tête du même côté que la rotation, au lieu de la maintenir dans l'axe du buste ?

Si vous ressentez mieux la posture en effectuant une rotation du cou, n'hésitez pas.

SEMAINE 4

3. Étirement de l'extérieur de la cuisse

↘ Faites 4 postures alternées.

→ Assis, fléchissez la jambe gauche sur le sol en ramenant au maximum le pied gauche vers le corps et vers la droite.

→ Faites passer la jambe droite au-dessus de la cuisse gauche et ramenez le genou droit vers le buste avec la main gauche, le coude dirigé vers le haut.

→ Placez la main droite sur le sol afin de renforcer la position verticale du dos. Maintenez l'action d'étirement maximale de la main gauche pendant 15 secondes en inspirant par le nez et en expirant par la bouche le plus lentement possible.

→ Décontractez-vous complètement pendant une dizaine de secondes avant d'inverser la position.

Variante

→ Réalisez la même technique en étirant à la verticale le bras d'appui.

CONSEIL

Ramenez au maximum vers l'arrière le pied de la jambe étirée.

QUESTION/ RÉPONSE

Peut-on réaliser une légère rotation du corps d'un côté ou de l'autre avec cette technique ?
Les personnes fragiles de la région lombaire doivent l'éviter.

VENDREDI

CONSEIL
Ne cherchez pas à fléchir
la tête vers la cuisse :
le dos et le cou doivent
rester impérativement
droits dans le cadre de
cette technique.

**QUESTION/
RÉPONSE**
*Peut-on réaliser
cette posture sans l'aide
des mains ?*
Oui ! Il convient
simplement d'être un peu
entraîné car cela n'est pas
à la portée de tous !

4. Écart des jambes
↘ Faites 4 postures alternées.

→ À genoux, face à un mur, prenez appui sur le
haut de celui-ci avec un talon. Les mains soulèvent
le mollet de chaque côté de la jambe.
→ Maintenez la hauteur maximale pendant
20 secondes en inspirant par le nez et en expirant
par la bouche le plus lentement possible.
→ Décontractez-vous complètement pendant une
vingtaine de secondes avant d'inverser la position.

Variante
→ Réalisez la même posture en déviant la jambe
vers la gauche, puis sur la droite, au lieu de les
placer en face.

SEMAINE 4

1. Étirement dorsal et de la jambe
↘ Faites 4 postures alternées.

→ Assis, tendez la jambe droite devant vous (bien dans l'axe de son articulation), le pied en flexion.
→ Fléchissez la jambe gauche à l'arrière, le talon touche la fesse.
→ Penchez ainsi au maximum le buste sur la jambe tendue pendant 12 secondes en inspirant par le nez et en expirant par la bouche le plus lentement possible.
→ Décontractez-vous complètement pendant une vingtaine de secondes avant d'inverser la position.

Variante
→ Réalisez la même posture, en entrelaçant les doigts, les paumes dirigées vers l'extérieur.

CONSEIL
Le genou de la jambe fléchie doit être étiré au maximum vers l'arrière.

QUESTION/ RÉPONSE
Peut-on pencher le buste entre les jambes et non au-dessus de la jambe tendue ?
OuiÐ! C'est nettement plus facile à réaliser mais cela constitue une variante à cette technique de base.

2. Rotation du tronc
↘ Faites 4 postures alternées.

→ Assis, fléchissez la jambe droite devant vous, élevez la jambe gauche sur le côté en la maintenant avec la main gauche à la verticale.
→ Repoussez le sol avec la main droite afin de bien étirer le dos. Réalisez ainsi une rotation du corps vers la gauche.
→ Maintenez l'étirement maximal pendant 12 secondes en inspirant par le nez et en expirant par la bouche le plus lentement possible.
→ Décontractez-vous complètement pendant une quinzaine de secondes avant d'inverser la position.

Variante
→ Réalisez la même technique en tendant la jambe qui est devant vous.

CONSEIL
Tirez bien la jambe sur le côté et vers l'arrière.

QUESTION/ RÉPONSE
Est-ce mieux de tenir la cheville ou la plante du pied de la jambe en élévation ?
C'est à votre convenance, suivant vos possibilités d'amplitude articulaire.

SEMAINE 4

3. Souplesse des jambes
↘ Faites 4 postures alternées.

→ Allongé sur le dos, les épaules en repos sur un support (coussin, tapis de gymnastique plié en quatre, couverture, etc.), fléchissez vos jambes et soulevez le bassin.
→ Élevez ensuite la jambe droite à la verticale et ramenez-la le plus près possible du visage à l'aide des mains. Les coudes sont dirigés vers l'extérieur.
→ Maintenez l'extension maximale de l'arrière de la jambe pendant 10 secondes en inspirant par le nez et en expirant par la bouche le plus lentement possible.
→ Décontractez-vous complètement pendant une vingtaine de secondes avant d'inverser la position.

Variante
→ Réalisez la même technique en étirant la jambe sur le côté et non devant vous.

CONSEIL
Surtout, ne vous cambrez pas ! Le dos doit conserver ses courbures naturelles.

QUESTION/ RÉPONSE
Peut-on abaisser un peu le bassin en cas de grande fragilité lombaire ?
Oui ! Toutefois, cette variante enlève une partie de l'efficacité de la posture.

4. Étirement du dos et des jambes

↘ Faites 4 postures alternées (en changeant la position des pieds).

→ Debout jambes tendues, placez une jambe devant l'autre. Écartez les pieds d'environ 20 cm.
→ Fléchissez le buste vers l'avant en essayant de poser les avant-bras sur le sol.
→ Maintenez la flexion maximale du corps pendant 15 secondes en inspirant par le nez et en expirant par la bouche le plus doucement possible.
→ Redressez-vous complètement très lentement en essayant de dérouler le dos, vertèbre par vertèbre.
→ Décontractez-vous complètement pendant une trentaine de secondes avant d'inverser la position.

Variante
→ Réalisez la même technique en étirant au maximum les bras parallèles devant vous.

CONSEIL
Ne décollez pas le talon de la jambe arrière ; si c'est le cas, rapprochez un peu les jambes.

QUESTION/ RÉPONSE
Quelle est la partie du dos la plus étirée ?
Si la posture est très bien réalisée, l'étirement est général, même si l'on a tendance à ressentir un étirement en haut du dos, mais qui concerne plutôt les épaules en raison du positionnement des bras.

DANS LA MÊME COLLECTION

→ Des techniques à pratiquer au quotidien pour être au top de sa forme en se relaxant

→ Des exercices expliqués step by step, tout en images

→ Des conseils et des astuces

→ Des auteurs experts et reconnus dans leur pratique

Merci à Adidas

Conception graphique : Noémie Levain

Mannequin : Shirley Coillot

Imprimé en Espagne par Estella Graficas
Septembre 2008
ISBN : 978-2-501-057598-5
40 4593 6 / 02